デイビッド・
セイン先生と

英語で日本全国
47都道府県めぐり

デイビッド・セイン 著

Jリサーチ出版

Introduction

Many readers of this book probably study English deligently as a hobby. But perhaps you've experienced having a conversation with a non-native when you found you weren't able to clearly talk about your hometown, a place you've visited, or a place you wanted to visit someday.

Also, when first meeting someone, you're usually curious about them. But asking private questions right away could make that person think you're rude and want to keep you at a distance. One first question you can always ask is, "Where are you from? With this question, you don't have to worry about being rude, making it a common question in conversations between strangers.

So by asking and answering this question, the distance between strangers meeting for the first time soon can be shortened.

And so, without delay, I'd like to invite you on a virutal trip of Japan.

This book includes text, along with audio, describing what makes the 47 prefectures appealing and unique. In other words, it has lots of information that will help you answer, "Where are you from?" when talking to someone for the first time. And, of course, you'll find expressions you can use to talk about what makes Japan a wonderful country.

One more thing—this book uses a learning method called shadowing. This training method will help you improve your listening and speaking skills. Following the instructions (pages 12 to 14), your English will definitely improve by the end of this book.

In other words, you can enjoy English as if you're on a trip, and your English listening and speaking skills will grow—that's the kind of fun English study suggested in this book.

I hope that this book will help you improve your English listening and speaking skills, and also help you to better talk about what makes Japan such a wonderful country.

David A. Thayne

はじめに

　みなさんの中には、英会話が趣味で、熱心に英語を勉強している方々が大勢いらっしゃることでしょう。ですが、外国人と英会話を楽しんでいるときに、出身地や思い出の土地、行ってみたいところなどについて、英語でうまく伝えられなかったことはありませんか。

　また、だれかと初めて会ったとき、その人についていろいろと知りたくなることがあると思います。ですが、出会ってすぐに、プライベートなことについてあまりにズバズバと突っ込んで質問をすると、相手に失礼だと思われてしまい、敬遠されてしまうことでしょう。そんなとき、気軽に使えるのが、「Where are you from?（ご出身はどちらですか）」という質問。これなら、失礼になる心配はほとんどありませんし、実際、初対面の人同士の会話で、出身地をたずねることはよくあります。つまり、この質問を投げかけたり、逆にこれに答えたりすることは、初対面の人同士の距離を、ぐっと縮めるのにとても役に立つのです。

　そこでみなさん、突然ですが、英語で日本を仮想旅行してみませんか。本書では、47都道府県がもっている魅力や名物を簡潔な文で表現し、文字と音声で収録しました。初対面の人との、「ご出身は？」から始まる会話を弾ませる際のネタになる情報や、外国の方たちに日本の魅力を紹介するときに"使える"表現が満載です。

　そしてもう1つ。今回は「シャドーイング」という学習メソッドを使っています。これはリスニングとスピーキングの上達に、たいへん効果的なトレーニング法です。本書の学習手順（12～14ページ）どおりに最後まで進むと、みなさんの英語力は確実に上がることでしょう。つまり、旅行気分で英文を楽しみつつ、リスニング力とスピーキング力を向上させる…そんな楽しい英語学習を、本書では提案しています。

　本書が、みなさんの英語リスニング＆スピーキング力と、日本の魅力を英語で紹介する表現力を向上させる一助となれましたら幸いです。

デイビッド・セイン

CONTENTS もくじ

はじめに ……………………………………………………………… 2
シャドーイング学習とは　そのメリットと学習ポイント ……… 6
本書の使い方 ………………………………………………………… 12

九州地方

沖縄県☆長寿 …………………… 16
鹿児島県☆焼酎 ………………… 20
宮崎県☆農業 …………………… 24
大分県☆地獄 …………………… 28
熊本県☆城 ……………………… 32
長崎県☆菓子 …………………… 36
佐賀県☆焼物 …………………… 40
福岡県☆屋台 …………………… 44
お役立ち表現❶ ………………… 48

四国地方

高知県☆人物 …………………… 50
愛媛県☆蜜柑 …………………… 54
香川県☆饂飩 …………………… 58
徳島県☆祭 ……………………… 62
お役立ち表現❷ ………………… 66

中国地方

山口県☆河豚 …………………… 68
広島県☆路面電車 ……………… 72
岡山県☆布地 …………………… 76
島根県☆神話 …………………… 80
鳥取県☆砂丘 …………………… 84
お役立ち表現❸ ………………… 88

近畿地方

和歌山県☆梅 ……………… 90
奈良県☆大仏 ……………… 94
兵庫県☆芸能 ……………… 98
大阪府☆食 ……………… 102
京都府☆寺 ……………… 106
滋賀県☆湖 ……………… 110
三重県☆産業 ……………… 114
お役立ち表現❹ ……………… 118

中部地方

愛知県☆金魚 ……………… 120
静岡県☆富士 ……………… 124
岐阜県☆伝統漁法 ……………… 128
長野県☆蕎麦 ……………… 132
山梨県☆果物 ……………… 136
福井県☆街道 ……………… 140
石川県☆金箔 ……………… 144
富山県☆薬 ……………… 148
新潟県☆米 ……………… 152
お役立ち表現❺ ……………… 156

関東地方

神奈川県☆街 ……………… 158
東京都☆自然 ……………… 162
千葉県☆落花生 ……………… 166
埼玉県☆人形 ……………… 170
群馬県☆蒟蒻 ……………… 174
栃木県☆神社 ……………… 178
茨城県☆納豆 ……………… 182
お役立ち表現❻ ……………… 186

東北地方・北海道

福島県☆拉麺 ……………… 188
山形県☆駒 ……………… 192
秋田県☆犬 ……………… 196
宮城県☆牛タン ……………… 200
岩手県☆もてなし ……………… 204
青森県☆祭 ……………… 208
北海道☆祭 ……………… 212

シャドーイング

そのメリットと学習ポイント

本編に入って実際に学習を始める前に、今回取り組む英語学習法「シャドーイング」に関する基礎知識とメリット、そして学習のポイントについて、簡単に頭に入れておきましょう。

シャドーイングって何？

　シャドーイングとは、**「英語の音声を聴いて、その音と同じ音を口から出す」**という学習方法です。つまり、その名のとおり、相手の「影（shadow）」になって「ついていく」というもので、英語の**総合力アップに効果的**な学習法なのです。

　こう聞くと、「**音読**」という学習法に似ているように感じるかもしれませんが、「目で見たもの」を口から出す音読と異なり、シャドーイングは、**耳で聴いたものを口から出すというやり方です**。つまり、自分の好きな速度でできる音読と違い、シャドーイングは、相手（英語音声）のペースやリズムに合わせて、お手本の音声と同じように言うことが目標となります。また、文字を頼りに内容把握ができる音読に対して、シャドーイングでは、耳で聴いた音声のみを手掛かりに、その内容を把握しなければなりません。そう聞くと、初級者がいきなり取り組むには少しハードルが高いように感じるかもしれません。

　ですがご安心ください。本書では、**音読学習法と組み合わせて段階的に**、シャドーイング学習にスムーズに入っていかれるように、**4つのステップ**で学習プログラムを構成してあります(詳しいプログラムは12ページへ！)。

　それでは次に、シャドーイングという学習方法が、なぜ英語の総合力アップに効果的なのか。4つのポイントを中心に、具体的に説明していきます。

シャドーイング 4つの効能 ❶ ▶ 集中力がアップする！

　まずは、**ためしに日本語でシャドーイング**をやってみてください。ラジオやテレビから聞こえてくる日本語の音声を、そのまま口から出してみるのです。

　どうですか。母国語である日本語でさえ、一字一句を正確に繰り返すには、**かなりの集中力が必要**だと思いませんか。一瞬でも何かほかのことを考えてしまうと、うまくシャドーイングすることは不可能ですよね。

　つまり、シャドーイングは、**半ば強制的に脳を学習に集中させる**学習法であるといえるのです。そしてそれは同時に、**語学の勉強に欠かせない集中力を高める**のに絶好のトレーニング方法なのです。

シャドーイング 4つの効能 ❷ ▶ リスニング力がアップする！

　シャドーイングは、**音声を確実に聴き取る**ところから始まります。

　ただ、当然のことながら、シャドーイングは、単なるリスニングとは違います。リスニングだけの場合、**最初は注意深く**聴いていても、**だんだん集中力が途切れてきて**、ふと気がつくと、内容が全く頭の中に入ってきておらず、何の話だったかわからなくなっていたりすることがあると思います。

　一方、ただ聞くだけではなく、聴いたものを口から出すトレーニングであるシャドーイングでは、**漫然と聞き流すことができません**。

　しかも、（この本では後半のステップになりますが）**基本的にはテキストなし**で行うため、文字に頼ることもできません。このことから、学習者は、必然的に**音声を正確に聴き取ろう**と努力する習慣が身につきます。

　こうして、**短時間で効果的にリスニング力を高める**ことができるのです。

シャドーイング4つの効能 ❸ ▶▶ スピーキング力がアップする！

　シャドーイング学習の、耳で聴いた音をそのまま口から出すという練習を通じて、**発音やイントネーションやリズムに磨きがかかります。**

　ポーズを置いた「**リピーティング**」という学習法では、リピートするポーズの間に、耳から入ってきた英語らしい発音やイントネーションを、自分の**頭の中で日本語化**してしまう可能性があります。

　ですが、**ポーズを置かない**シャドーイングでは、こうはいきません。

　どんどん流れてくる英語音声を、待ったなしでどんどん口に出して言わなくてはなりません。またときには、「意味はわからないが、とにかく**音だけを真似して口に出して言う**」という状態が起こることもあります。つまり、たとえ意味がわからないままであっても、その英語は、**音として学習者の頭に残る**ということになります。

　このようなプロセスによって、学習者は、**「文字」ではなく「音」**として英語をとらえられるようになっていきます。この、「音としての英語」を自在に操れる能力こそ、スピーキング力にほかなりません。

シャドーイング4つの効能 ❹ ▶▶ リーディング力がアップする！

　シャドーイングでは、**学習する姿勢次第**で、リーディング力を効果的にアップすることもできます。それは、**速読速解法を身につける**ことです。

　日本人は、英語を読んでいても、日本語の文法に合わせて日本語に置き換える作業をしがちです。たとえば、**I met a man on the street.** という文章をきちんと日本語に訳すと…。

私は	道で	男に	会った
＝	＝	＝	＝
I	on the street	a man	met

このように、**英語の語順とは異なる訳**になりますね。そのため、英文の上を律儀に行きつ戻りつして、日本語訳を完成させることになります。ですが、実際に会話でこんなことをしていたら、内容をすぐに理解できず、時間がかかって仕方がありません。そこで、**英語の語順通りに理解する**必要性が出てきます。たとえばこの文の場合は以下のようになります。

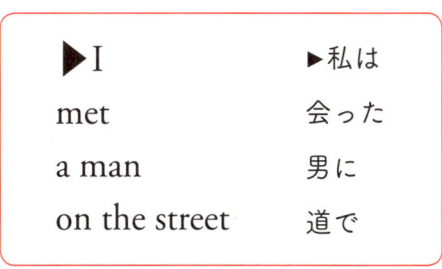

　ですが、いきなり英語の音声を真似して言いながら、さらにそれを語順通りに理解するのは、人によっては**難しい**と感じるかもしれません。そこで、本書ではまず、「**STEP1**」で、**意味グループで区切った英文を音読**し、語順通りに意味をとらえる訓練をします。

　もちろん、事前に音読練習をせずに、いきなりシャドーイングから始めてもOKです。その場合、英文の音声の後についてひたすら口を動かすことに慣れたら、このように**頭から意味を理解するように心がけていく**と、シャドーイングは大いに**リーディング力アップの訓練**にもなるのです。

学習ポイント❶ ▶▶ しっかりと**声を出す**べし！

　シャドーイングは、できるだけ**しっかりと声を出して行う**のがベストです。これは、**自分の発音を確認**できるという利点があるからです。自分の声を**録音**しておいて、後でネイティブスピーカーの音声と聴き比べて、どこが違っているかなどを**チェック**してみるのもいいですね。弱点がはっきりするので、**上達も早くなります**。

なお、電車の中など、**声を出せない**シチュエーションもよくありますよね。そんなときは、**口を動かすだけで実際には声を出さない**「ささやきシャドーイング」でもOKです。

自分のできる範囲で、ぜひがんばってみてください。

学習ポイント❷ ▶ 焦らず**確認**、何度も**リピート**

シャドーイングが英語力の向上に非常に効果的であることは、同時通訳者のトレーニングとして用いられていることからも明らかです。ただ、通訳のトレーニングで行われているシャドーイングは、初めて聴く音声をスクリプトなしで聴き、その場で発音するというものです。これは、聴き取る能力と発音する能力の両方が要求される、非常に高度なテクニックです。

そこで今回は、**初めての人でもスムーズにトライできる**よう、シャドーイングの勉強法を**アレンジ**しました。詳しくは、12〜14ページの「本書の効果的な使い方」にもありますが、大まかに言うと以下のような流れです。

①音読でざっくり内容把握
⬇
②スクリプトを確認しつつゆっくりシャドーイング（くり返し）
⬇
③スクリプトなしでシャドーイング（くり返し）
⬇
④内容が理解できたかどうかクイズで確認

このようにゆっくりと段階を踏んで学習していくので、**だれでも気軽に挑戦**できますし、その効果が損なわれることもありません。

学習ポイント❸ ▶▶ **日本案内の表現**を身につける！

　さて今回は、タイトルにもあるとおり、「**英語で日本全国47都道府県めぐり**」をテーマに、シャドーイング学習に取り組みます。それはつまり、「シャドーイングを使った**"単なる英語のお勉強"では終わらない**」ということを意味します。つまり本書では、シャドーイング学習で英語の総合力をアップしながら、「**すぐに使える、日本について英語で表現する力**」も身につけられるのです。

　私たちが暮らしている日本という国の、面白いことや知らなかったこと、改めて英語で言おうとすると言えなかったりすること……などなど、47の都道府県を旅する気分で、**楽しみながら勉強できる**のが最大の特長です。

　また、英語に興味のある人なら、いつかは**外国人の友人に日本や日本の文化を紹介**したい、と思っているのではないでしょうか。今すぐではないかもしれませんが、いずれそんな機会が訪れるかもしれません。そんなときにも役に立つ表現が満載です。

　「今回は北海道へ♪」とか、「四国に行ってみようかな…」など、**ツアー気分**で楽しむもよし、自分の興味のある都道府県から**ランダム**に本を開いて、"ダーツの旅"気分で勉強してみるもよし。自分にとって楽しいスタイルで、**今日から**スタートしませんか。

学習ポイント❹ ▶▶ 基礎固め後は**好きな素材**に挑戦！

　本書を使ってシャドーイングの基礎を固めたら、次は**自分自身で素材を探し**、トレーニングを積んでいきましょう。最初はやさしい教材を使い、段階的に**映画**や**テレビ**など、**より手ごたえのある教材**にチャレンジしていけば、**英語力はぐんぐん伸びる**はずです。

本書の効果的な使い方

　本書は、まったく「ゼロ」の状態からシャドーイング学習に取り組む人でも抵抗なくスムーズにシャドーイング学習を始められ、続けられるように、段階的な学習プログラムで構成しました。

　それではさっそく具体的・効果的な使い方をチェックしてみましょう。

各都道府県の簡単な基本データ。豆知識として
※面積のデータは総務省統計局・日本統計年鑑「都道府県別面積」より引用

道府県名と今回のテーマ

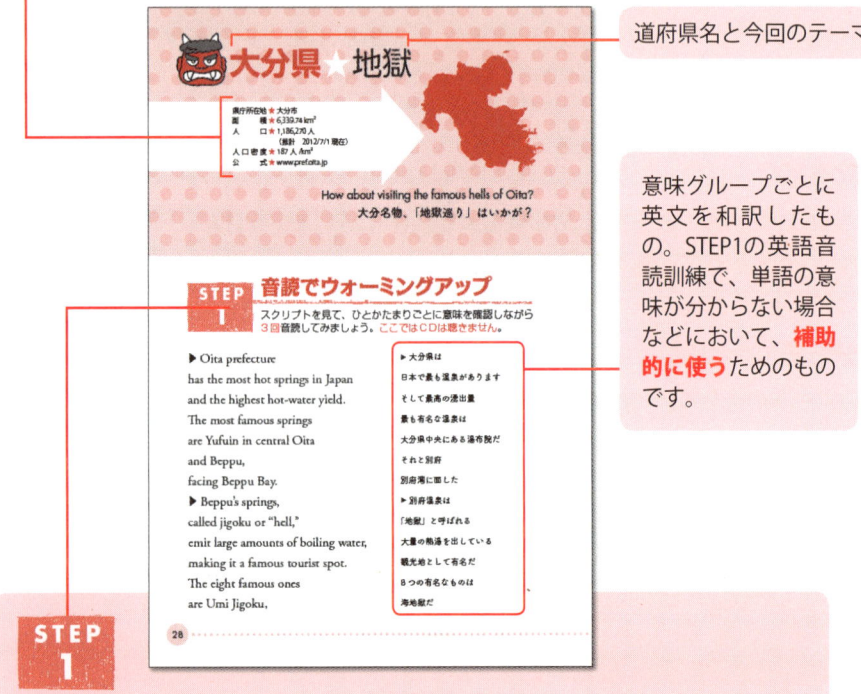

意味グループごとに英文を和訳したもの。STEP1の英語音読訓練で、単語の意味が分からない場合などにおいて、**補助的に使う**ためのものです。

STEP 1 音読でウォーミングアップ

とくに初級者、シャドーイング未経験者は、ここから始めるのがオススメ。シャドーイングの素材＝各都道府県の魅力（の1つ）を紹介する英文を、**意味グループ**ごとに区切ったものを、まず**3回程度音読**します。文の内容を**語順のまま把握**しながら読みましょう。速読速解するくせをつけます。

STEP 2 ゆっくりシャドーイング

区切りなしの英文を使って、**ゆっくりした速度でのシャドーイング**に挑戦します。英文の中には、**赤い文字で**、英語特有の音声現象が書き込まれています。音声現象は、主に以下の5項目です。

① **連結**：2つかそれ以上の単語がくっついて、1つの単語のように聞こえる
② **脱落**：音の組み合わせなどにより、ある音が省略されて聞こえなくなる
③ **同化**：隣同士の音が互いに影響し、片方もしくは両方の音が一緒になって変化する
④ **破裂なし**：語尾の破裂音([k]や[t]など)がほぼ聞こえなくなる
⑤ **弱化**：機能語(冠詞・代名詞・接続詞・助動詞・関係詞など)がほぼ聞こえなくなる

これらの音声現象は**日本人にとって苦手なところ**なので、英語の音に意識を集中して、**発音やイントネーションを向上させましょう**。

STEP 2 まずは ゆっくりシャドーイング　CD 1-7

テキストを見ながら、赤字で書き込まれた「音の注意点」を意識し、CD音声を聴いて3回以上シャドーイングしましょう。

Oita prefecture has the most hot springs in Japan and the highest hot water yield. The most famous springs are Yufuin in central Oita and Beppu, facing Beppu Bay.

Beppu's springs, called *jigoku* or "hell," emit large amounts of boiling water, making it a famous tourist spot. The eight famous ones are Umi Jigoku, which looks cool at first; Oniishibozu Jigoku, with hot mud bubbles and spouts in every direction; Yama Jigoku, a mountain with steam blowing everywhere; Kamado Jigoku, with six kinds of springs; Oniyama Jigoku, with hot greenish-white water; Shiraike Jigoku, which turns white when temperatures drop; Chinoike Jigoku, with tainted vermillion that looks like blood; and Tatsumaki Jigoku, with geysers.

Regular buses take visitors to the eight hells, so don't miss this. At the various hells, you can see something unique — flamingoes, hippopotamuses, alligators, unusual tropical plants, and much more.

マーク内の番号は、ディスクとトラックの番号を示しています。CDには、**ゆっくりめのスピードの英語音声**が収録されています。まずは**テキストを見ながらCDを聴き**、音声をなぞるように真似をして、3回以上、口に出して英語を言ってみましょう。

CD音声は、STEP2と同じゆっくりバージョンの他に、ネイティブスピーカーが自然に話す時の、**ナチュラルスピード**の音声も収録してあります。**ゆっくり音声**と聴き比べたり、英語本来の**リズム**や**強弱**、**イントネーション**を掴むのに有効ですので、上手に活用してください。

STEP 3 同時シャドーイング

テキストを見ずにCD音声を聴いて、シャドーイングをしましょう。最初は難しいかもしれませんが、何度も繰り返しトライして、最初から最後まで**つっかえずに言えるようになるまで**、がんばりましょう！

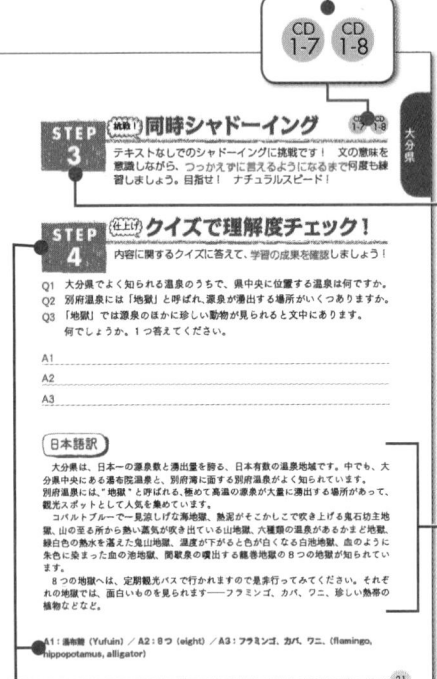

英文全文の**日本語訳文**です。STEP1〜4のトレーニングをするうえで使用することはありませんが、念のための**確認用**として使ってください。

STEP 4 クイズで理解度チェック！

仕上げに、ここまでトレーニングしてきた英文について、その内容をきちんと理解できているかどうかを、**クイズでチェック**しましょう。正解（日本語・英語）は、ページの下に小さく掲載されています。

九州地方

沖縄で長寿の秘密に迫り、鹿児島で美酒に酔う。宮崎の極上果実に魂奪われ大分で"地獄"を見る。熊本では歴史に思いを馳せ、長崎銘菓でひと休み。佐賀で食器を調達したら、福岡屋台で打ち上げだ!?

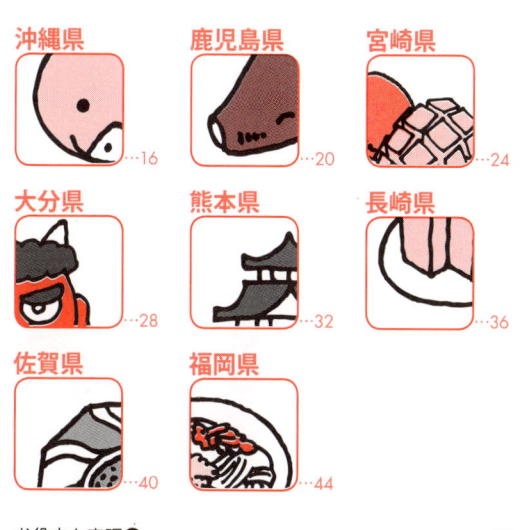

沖縄県 …16
鹿児島県 …20
宮崎県 …24
大分県 …28
熊本県 …32
長崎県 …36
佐賀県 …40
福岡県 …44

お役立ち表現❶ …48

 # 沖縄県 ★ 長寿

県庁所在地 ★ 那覇市
面　　　積 ★ 2,276 km²
人　　　口 ★ 1,407,531 人
　　　　　　（推計　2012/7/1 現在）
人 口 密 度 ★ 618 人 /km²
公　　　式 ★ www.pref.okinawa.lg.jp

The Okinawan secret the world wants to know
世界中が知りたい長寿の秘訣

STEP 1　音読でウォーミングアップ

スクリプトを見て、ひとかたまりごとに意味を確認しながら3回音読してみましょう。ここではＣＤは聴きません。

▶ Japan	▶ 日本は
is known globally	広く知られている
as a nation of longevity.	長寿の国だと
And Okinawa in particular	そして沖縄はとくに
has long been known	知られてきました
as the long-life prefecture.	長寿の県として
One reason	１つの理由は
is their traditional food culture.	彼らの伝統的な食文化だ
▶ A typical ingredient	▶ 代表的な食材
in Okinawan dishes	沖縄料理において
is pork.	豚肉だ
Unlike on the mainland,	本州と異なり
Okinaw's pork culture	沖縄の豚肉文化は

is long—	長い
longer than 600 years.	600年以上だ
After so many years with the pig,	豚との長年にわたる付き合いの中で
the entire animal,	その動物のすべて
from head to toe,	頭からつま先まで
is utilized.	利用されている
The pork is cooked	豚肉は料理される
for a long time,	長い時間をかけて
so the grease is cooked out,	そのため脂肪が取り除かれ
making it really healthy.	とてもヘルシーになる
▶ There are a lot of	▶ たくさんある
pork dishes,	豚肉料理
but my favorite	私のお気に入りは
is *ashi-tebichi*,	足テビチだ
or slow-stewed pig feet.	じっくり煮込んだ豚足
It has	それは持つ
lots of collagen,	たくさんのコラーゲン
which is great for women	女性にとってとてもいい
worried about their skin.	お肌のことを気にする
Another dish,	ほかの料理
kubuirichi,	クーブイリチー
is stewed shredded *konbu*	細切りの昆布を煮る
with pork,	豚肉と一緒に
so it'll make you healthy and beautiful.	だから健康と美容にいい
You have to try	試してみるべきだ
the *agu* brand of pork	あぐーブランドの豚肉
in authentic Okinawan cuisine.	本格的な沖縄料理において

沖縄県

STEP 2 まずは ゆっくりシャドーイング

テキストを見ながら、赤字で書き込まれた「音の注意点」を意識し、CD音声を聴いて3回以上シャドーイングしましょう。

Japan is known globally as a nation of longevity. And Okinawa in particular has long been known as the long-life prefecture. One reason is their traditional food culture.

A typical ingredient in Okinawan dishes is pork. Unlike on the mainland, Okinawa's pork culture is long—longer than 600 years. After so many years with the pig, the entire animal, from head to toe, is utilized. The pork is cooked for a long time, so the grease is cooked out, making it really healthy.

There are a lot of pork dishes, but my favorite is *ashi-tebichi*, or slow-stewed pig feet. It has lots of collagen, which is great for women worried about their skin. Another dish, *kubuirichi*, is stewed shredded *konbu* with pork, so it'll make you healthy and beautiful. You have to try the *agu* brand of pork in authentic Okinawan cuisine.

STEP 3 挑戦! 同時シャドーイング　CD1-1 CD1-2

沖縄県

テキストなしでのシャドーイングに挑戦です！　文の意味を意識しながら、つっかえずに言えるようになるまで何度も練習しましょう。目指せ！　ナチュラルスピード！

STEP 4 仕上げ クイズで理解度チェック！

内容に関するクイズに答えて、学習の成果を確認しましょう！

Q1　沖縄県が長寿県である理由の1つは、沖縄独自の何ですか。
Q2　「足テビチ」とは何ですか。
Q3　細切りにした昆布を豚肉と一緒に炒め煮にする沖縄料理の名前は何ですか。

A1
A2
A3

日本語訳

　日本は世界でも有数の長寿国家です。中でも、沖縄県は古くから「長寿県」として知られています。その理由の1つとして考えられているのが、沖縄の伝統的な食文化です。
　沖縄料理の代表的な食材として、豚肉があげられます。本土と違い、沖縄の豚肉食文化は歴史が長く、600年以上とも言われています。豚との長い付き合いを経て、沖縄料理では、豚の頭の先から足の先まで無駄なく利用します。しかも、時間をかけて脂を抜く調理法をとるので、とてもヘルシーです。
　いろんな豚料理がありますが、私のお気に入りは、豚足をじっくり煮込んだ「足テビチ」です。コラーゲンたっぷりで、お肌を気にする女性にもおすすめです。また、昆布を細切りにしたものと、豚肉を一緒に炒め煮にする「クーブイリチー」は、美容と健康にいい一品です。おいしいブランド豚「あぐー」を使った本場の料理を、ぜひ味わってみてくださいね。

A1：伝統的な食文化 (traditional food culture) ／ A2：豚足をのじっくり煮込み (slow-stewed pig feet) ／ A3：クーブイリチー (kubuirichi)

鹿児島県 ★ 焼酎

県庁所在地 ★ 鹿児島市
面　　積 ★ 9,044 km²
人　　口 ★ 1,690,503 人
　　　　　　（推計　2012/7/1 現在）
人口密度 ★ 184 人 /km²
公　　式 ★ www.pref.kagoshima.jp

Satsuma Shochu — the pride of Kogoshima
鹿児島の名産、自慢の「薩摩焼酎」

STEP 1 音読でウォーミングアップ

スクリプトを見て、ひとかたまりごとに意味を確認しながら
3回音読してみましょう。ここではＣＤは聴きません。

▶ When people think of Japanese alcohol,　▶ 人々が日本のお酒を考えるとき
they think of Nihon-shu,　　　　　　　　　彼らは日本酒を思いつく
but *shochu*　　　　　　　　　　　　　　 しかし焼酎は
has become popular　　　　　　　　　　　 人気が高まっている
overseas recently.　　　　　　　　　　　　 海外で最近
This is made　　　　　　　　　　　　　　 これは作られる
by distilling grains and sweet potatoes,　　　穀物やサツマイモを蒸留することで
and because it's a distilled liquor　　　　　　そしてそれは蒸留酒なので
with a high alcohol content,　　　　　　　　高いアルコール度数の
it's distinctively refreshing.　　　　　　　　独特のすっきりした味わいだ
▶ Kyushu is *shochu* country,　　　　　　　▶ 九州は焼酎の国だ
and Kagoshima has　　　　　　　　　　　　そして鹿児島は持っている
over 100 authentic *shochu* breweries,　　　　本格焼酎の 100 以上の醸造所を

鹿児島県

and also the highest production and consumption anywhere in Japan.	それに最高の生産量 そして消費量 日本全国で
Kagoshima mainly makes *imo shochu* using the local famous sweet potato.	鹿児島は 主にイモ焼酎を作っている 当地の名産サツマイモを使って
The WTO has given one brand called Satsuma Shochu from Kagoshima a Geographical Indication, just as that for cognac and Bordeaux.	WTOは、1つのブランドを与えた 鹿児島の「薩摩焼酎」という 地理的表示 ちょうどコニャックやボルドーと同様に
So only Satsuma Shochu made using Kagoshima's great sweet potatoes and water can use that name.	そのため〜を使用した薩摩焼酎だけが 鹿児島の素晴らしいサツマイモ そして水 その名前を使用できる
▶ Unlike Nihon-shu, *shochu* has a simple taste, and so people say it's easier on the body than fermented liquor.	▶ 日本酒と違い 焼酎はシンプルな味だ だから人々はより体にやさしいと言う 醸造酒より
Without any carbohydrates, it's said to be less fattening than beer and Nihon-shu.	糖類が含まれていないので より太りにくいと言われる ビールや日本酒より
This makes it popular with even the young ladies of today.	このため人気がある 今では若い女性にも
▶ How about Satsuma Shochu with a famous Kagoshima black-pork dish on the side?	▶ 薩摩焼酎はいかが 鹿児島の有名な黒豚料理を おつまみにして

STEP 2 まずは ゆっくりシャドーイング

テキストを見ながら、赤字で書き込まれた「音の注意点」を意識し、CD音声を聴いて3回以上シャドーイングしましょう。

When people think of Japanese alcohol, they think of Nihon-shu, but *shochu* has become popular overseas recently. This is made by distilling grains and sweet potatoes, and because it's a distilled liquor with a high alcohol content, it's distinctively refreshing.

Kyushu is *shochu* country, and Kagoshima has over 100 authentic *shochu* breweries, and also the highest production and consumption anywhere in Japan. Kagoshima mainly makes *imo shochu* using the local famous sweet potato. The WTO has given one brand called Satsuma Shochu from Kagoshima a Geographical Indication, just as that for cognac and Bordeaux. So only Satsuma Shochu made using Kagoshima's great sweet potatoes and water can use that name.

Unlike Nihon-shu, *shochu* has a simple taste, and so people say it's easier on the body than fermented liquor. Without any carbohydrates, it's said to be less fattening than beer and Nihon-shu. This makes it popular with even the young ladies of today.

How about Satsuma Shochu with a famous Kagoshima black-pork dish on the side?

STEP 3 挑戦！同時シャドーイング　CD 1-3　CD 1-4

鹿児島県

テキストなしでのシャドーイングに挑戦です！　文の意味を意識しながら、つっかえずに言えるようになるまで何度も練習しましょう。目指せ！　ナチュラルスピード！

STEP 4 仕上げ クイズで理解度チェック！

内容に関するクイズに答えて、学習の成果を確認しましょう！

Q1　鹿児島県で主に生産されている焼酎の種類は何ですか。
Q2　文中で、鹿児島県に100以上あると言われているものは何ですか。
Q3　ビールや日本酒には含まれているが、焼酎にはない栄養素は何ですか。

A1
A2
A3

日本語訳

　日本のお酒というと、日本酒を思い浮かべる人も多いかもしれませんが、最近、海外では焼酎も大変人気を集めています。焼酎とは、穀類やサツマイモを蒸留して造られるお酒で、日本酒よりもアルコール度数が高く、蒸留酒であるために、スッキリとした飲み口が特徴です。
　九州は、焼酎作りが大変盛んな地域です。その中でも、鹿児島県には100を超える本格焼酎の蔵元があり、焼酎の生産量も消費量も日本一です。鹿児島では、特産のサツマイモを使った芋焼酎を、主に生産しています。鹿児島には「薩摩焼酎」というブランド名があり、これはボルドーやコニャックなどと同じく、WTOの協定に基づく産地指定を受けています。つまり、鹿児島の良質なサツマイモと、おいしい水を使った焼酎のみが、薩摩焼酎の名を冠することが許されるのです。
　日本酒とは違ってシンプルな味わいなので、焼酎は悪酔いしにくいと言われています。また、焼酎には糖質が含まれていないので、ビールや日本酒より太りにくいとも言われています。そのため、最近では若い女性にもとても人気があります。
鹿児島名産の黒豚料理を肴に、あなたも薩摩焼酎を楽しんでみませんか？

**A1：芋焼酎（imo shochu）／A2：本格焼酎の蔵元（authentic shochu breweries）／
A3：糖質（carbohydrate）**

宮崎県 ★ 農業

県庁所在地 ★ 宮崎市
面　　積 ★ 6,795 km²
人　　口 ★ 1,126,283 人
　　　　　　（推計　2012/7/1 現在）
人口密度 ★ 146 人/km²
公　　式 ★ www.pref.miyazaki.lg.jp

Discover the delicious flavors of Miyazaki
宮崎の「美味しい」を知る！

STEP 1　音読でウォーミングアップ

スクリプトを見て、ひとかたまりごとに意味を確認しながら
3回音読してみましょう。ここではCDは聴きません。

▶ Miyazaki　　　　　　　　　　　　　▶ 宮崎県は
is a major agriculture-based prefecture.　一大農業県だ
It's the prefecture　　　　　　　　　　それは県だ
with the largest portion　　　　　　　最大の部分を持つ
of its income　　　　　　　　　　　　その収入の
coming from farming, fishing and forestry,　農業、漁業、林業からくる
giving it a solid position　　　　　　それに確固たる地位を与えている
as an important support for Japan.　　日本の重要な支柱として
▶ It boasts　　　　　　　　　　　　　▶ それは誇っている
of the top production　　　　　　　　トップの生産量を
in *daikon* radishes,　　　　　　　　大根の
and it's shredded and dried *daikon*,　そして細く切って干した大根は
called *kiriboshi-daikon*,　　　　　　切干大根と呼ばれる

宮崎県

is an especially famous local specialty.
▶ Taking advantage
of the warm climate,
a lot of fruit is grown
in Miyazaki.
Especially famous
is Miyazaki mango.
▶ The skin
is red like an apple,
and the flesh
is bright orange and soft
so that it melts in your mouth.
The reason is that
it reaches full maturity
while still on the tree.
It's harvested
by letting it ripe
until it falls
into a net attached to the tree.
▶ Miyazaki mango
are all delicious,
but only the ones
that clear the tight standards
are allowed
to be called Egg of the Sun.
Take one bite,
and it'll take your breath away.

とくに有名な名産品だ
▶ 活用して
温暖な気候を
たくさんの果物が栽培されている
宮崎では
特に有名なのは
宮崎マンゴーだ
その皮は
リンゴみたいに赤い
そして果肉は
鮮やかな橙色で柔らかい
だから口の中で溶ける
その理由は〜だ
完熟状態に達する
木になった状態で
それは収穫される
成熟させられる
落ちるまで
木に装着されたネットの中に
宮崎マンゴーは
全部おいしい
でも〜だけのもの
厳しい基準をクリアした
許される
太陽のタマゴと呼ばれることを
一口かじりなさい
息をのむことでしょう

STEP 2 まずは ゆっくりシャドーイング　CD 1-5

テキストを見ながら、赤字で書き込まれた「音の注意点」を意識し、CD音声を聴いて3回以上シャドーイングしましょう。

Miyazaki is a major agriculture-based prefecture. It's the prefecture with the largest portion of its income coming from farming, fishing and forestry, giving it a solid position as an important support for Japan.

　It boasts of the top production in *daikon* radishes, and it's shredded and dried *daikon,* called *kiriboshi-daikon,* is an especially famous local specialty.

　Taking advantage of the warm climate, a lot of fruit is grown in Miyazaki. Especially famous is Miyazaki mango.

　The skin is red like an apple, and the flesh is bright orange and soft so that it melts in your mouth. The reason is that it reaches full maturity while still on the tree. It's harvested by letting it ripe until it falls into a net attached to the tree.

　Miyazaki mango are all delicious, but only the ones that clear the tight standards are allowed to be called Egg of the Sun. Take one bite, and it'll take your breath away.

STEP 3 挑戦！ 同時シャドーイング　CD 1-5　CD 1-6

宮崎県

テキストなしでのシャドーイングに挑戦です！　文の意味を意識しながら、つっかえずに言えるようになるまで何度も練習しましょう。目指せ！　ナチュラルスピード！

STEP 4 仕上げ クイズで理解度チェック！

内容に関するクイズに答えて、学習の成果を確認しましょう！

Q1　宮崎県は、何の野菜の生産量が日本一ですか。
Q2　宮崎のマンゴーの皮と果肉はどんな色でしょうか。
Q3　宮崎マンゴーの高級ブランドは何ですか。

A1
A2
A3

日本語訳

　宮崎県は日本でも有数の農業県です。宮崎県は、県民所得に占める第一次産業――農業、漁業、林業――の比率が国内で最も高い県であり、まさに日本にとって縁の下の力持ちとして揺るぎない地位を占めています。
　なかでも、大根の生産量は日本一なのです。大根を細く切って干して作られる切干大根も、宮崎の名産としてとくに有名なんですよ。
　宮崎では、温暖な気候を生かしたフルーツの生産も盛んです。とりわけ有名なのは、宮崎マンゴーです。
　その皮はリンゴのように赤く、果肉は鮮やかなオレンジ色で柔らかく、口の中でとろけてしまいます。その理由は、木になった状態のままで完熟させられるからなんです。果実は、完全に熟して、木に取り付けられたネットへ自然と落ちたところで収穫されるのです。
　宮崎マンゴーはみんな美味しいですが、いくつもの厳しい基準をクリアしたものだけが、「太陽のタマゴ」というブランド名を名乗ることを許されます。ひと口ほおばったら、ほっぺたが落ちるかもしれませんよ？

A1：大根（daikon radish）／A2：皮＝（リンゴのような）赤（red〈like an apple〉）・果肉＝（鮮やかな）オレンジ色（〈bright〉orange）／A3：太陽のタマゴ（Egg of the Sun）

大分県 ★ 地獄

県庁所在地 ★ 大分市
面　　積 ★ 5,100 km²
人　　口 ★ 1,186,270 人
　　　　　（推計　2012/7/1 現在）
人口密度 ★ 232 人 /km²
公　　式 ★ www.pref.oita.jp

How about visiting the famous hells of Oita?
大分名物、「地獄巡り」はいかが？

STEP 1　音読でウォーミングアップ

スクリプトを見て、ひとかたまりごとに意味を確認しながら
3 回音読してみましょう。ここではＣＤは聴きません。

▶ Oita prefecture　　　　　　　　　　▶ 大分県は
has the most hot springs in Japan　　日本で最も温泉があります
and the highest hot-water yield.　　　そして最高の湧出量
The most famous springs　　　　　　最も有名な温泉は
are Yufuin in central Oita　　　　　　大分県中央にある湯布院だ
and Beppu,　　　　　　　　　　　　それと別府
facing Beppu Bay.　　　　　　　　　別府湾に面した
▶ Beppu's springs,　　　　　　　　　▶ 別府温泉は
called *jigoku* or "hell,"　　　　　　「地獄」と呼ばれる
emit large amounts of boiling water,　大量の熱湯を出している
making it a famous tourist spot.　　　観光地として有名だ
The eight famous ones　　　　　　　8 つの有名なものは
are Umi Jigoku,　　　　　　　　　　海地獄だ

which looks cool at first;	見た目は涼しげな
Oniishibozu Jigoku,	鬼石坊主地獄
with hot mud bubbles	泥の泡がある
and spouts in every direction;	そして噴出があちこちに
Yama Jigoku,	山地獄
a mountain with steam	蒸気がある山
blowing everywhere;	あちこちから噴き出ている
Kamado Jigoku,	かまど地獄
with six kinds of springs;	6種類の温泉がある
Oniyama Jigoku,	鬼山地獄
with hot greenish-white water;	緑白色の熱い湯
Shiraike Jigoku	白池地獄
which turns white	白色に変わる
when temperatures drop;	温度が下がると
Chinoike Jigoku,	血の池地獄
with tainted vermillion	朱色の
that looks like blood;	血のような
and Tatsumaki Jigoku,	そして竜巻地獄
with geysers.	間欠泉の
▶ Regular buses	▶ 定期観光バスは
take visitors to the eight hells,	訪問客を8つの地獄に連れていく
so don't miss this.	だから、お見逃しなく
At the various hells,	さまざまな地獄は
you can see something unique—	面白いものが見られる
flamingoes, hippopotamuses, alligators,	フラミンゴ、カバ、ワニ、
unusual tropical plants,	珍しい熱帯植物
and much more.	他にもっと

大分県

STEP 2 まずは ゆっくりシャドーイング

テキストを見ながら、赤字で書き込まれた「音の注意点」を意識し、CD音声を聴いて3回以上シャドーイングしましょう。

Oita prefecture has the most hot springs in Japan and the highest hot-water yield. The most famous springs are Yufuin in central Oita and Beppu, facing Beppu Bay.

Beppu's springs, called *jigoku* or "hell," emit large amounts of boiling water, making it a famous tourist spot. The eight famous ones are Umi Jigoku, which looks cool at first; Oniishibozu Jigoku, with hot mud bubbles and spouts in every direction; Yama Jigoku, a mountain with steam blowing everywhere; Kamado Jigoku, with six kinds of springs; Oniyama Jigoku, with hot greenish-white water; Shiraike Jigoku, which turns white when temperatures drop; Chinoike Jigoku, with tainted vermillion that looks like blood; and Tatsumaki Jigoku, with geysers.

Regular buses take visitors to the eight hells, so don't miss this. At the various hells, you can see something unique — flamingoes, hippopotamuses, alligators, unusual tropical plants, and much more.

STEP 3 挑戦！同時シャドーイング CD 1-7 CD 1-8

テキストなしでのシャドーイングに挑戦です！ 文の意味を意識しながら、つっかえずに言えるようになるまで何度も練習しましょう。目指せ！ ナチュラルスピード！

STEP 4 仕上げ クイズで理解度チェック！

内容に関するクイズに答えて、学習の成果を確認しましょう！

Q1 大分県でよく知られる温泉のうちで、県中央に位置する温泉は何ですか。
Q2 別府温泉には「地獄」と呼ばれ、源泉が湧出する場所がいくつありますか。
Q3 「地獄」では源泉のほかに珍しい動物が見られると文中にあります。何でしょうか。1つ答えてください。

A1
A2
A3

日本語訳

　大分県は、日本一の源泉数と湧出量を誇る、日本有数の温泉地域です。中でも、大分県中央にある湯布院温泉と、別府湾に面する別府温泉がよく知られています。
別府温泉には、"地獄"と呼ばれる、極めて高温の源泉が大量に湧出する場所があって、観光スポットとして人気を集めています。
　コバルトブルーで一見涼しげな海地獄、熱泥がそこかしこで吹き上げる鬼石坊主地獄、山の至る所から熱い蒸気が吹き出ている山地獄、六種類の温泉があるかまど地獄、緑白色の熱水を湛えた鬼山地獄、温度が下がると色が白くなる白池地獄、血のように朱色に染まった血の池地獄、間歇泉の噴出する龍巻地獄の8つの地獄が知られています。
　8つの地獄へは、定期観光バスで行かれますので是非行ってみてください。それぞれの地獄では、面白いものを見られます——フラミンゴ、カバ、ワニ、珍しい熱帯の植物などなど。

A1：湯布院（Yufuin）／ A2：8つ（eight）／ A3：フラミンゴ、カバ、ワニ、(flamingo, hippopotamus, alligator)

大分県

 熊本県 ★ 城

県庁所在地 ★ 熊本市中央区
面　　積 ★ 7,268 km²
人　　口 ★ 1,807,260 人
　　　　　（推計　2012/7/1 現在）
人口密度 ★ 248 人 /km²
公　　式 ★ www.pref.kumamoto.jp

Visit Kumamoto Castle--one of the three greatest!
日本三大名城の一つ、熊本城をご案内！

STEP 1　音読でウォーミングアップ

スクリプトを見て、ひとかたまりごとに意味を確認しながら
３回音読してみましょう。ここではＣＤは聴きません。

▶ Kumamoto Castle
is one of the three great castles,
along with Nagoya and Osaka castles.
It's an Important Cultural Property
and a Special Historical Site,
and one of the 100 best places in Japan
to view cherry blossoms.
▶ The current castle was built
in seven years from 1601
by Kiyomasa Kato,
a great commander.
It has big and small towers,
49 turrets

▶熊本城は
３大城の１つだ
名古屋城、大阪城と並んで
それは重要文化財だ
そして特別史跡だ
そしてベスト100の場所の１つ
桜の花を見るための
▶今の城は建てられた
1601年から７年かけて
加藤清正によって、
名将
それは、大小の塔を持つ
49の櫓

and 29 gates,	そして29の城門
and the grounds	そして城郭は
are 21-times bigger than Tokyo Dome.	東京ドームの21倍の大きさだ
The beautiful Kiyomasa-style stone wall	美しい清正流石垣は
is very famous.	非常に有名だ
▶ The free	▶ 無料の
Kumamoto Oshiro Guide service,	熊本お城ガイドサービスは
for individuals or small groups,	個人または小グループのための
helps you see	あなたが見るのを助けてくれる
the expansive castle	広大な城
in the most efficient way.	最も効率的な方法で
▶ Did you know	▶ 知ってましたか
you can also eat dishes	料理を食べられる
named after the old Kumamoto clan?	旧熊本藩にちなんだ
Enjoy a meal	食事を楽しみなさい
using local special ingredients	当地の名物食材を使って
based on the ancient tray-served meals	古代の本膳料理をベースにした
served in ceremonies	儀式で提供されていた
by samurai families,	武家で
with flavors adjusted	味を調整した
to modern tastes.	現代的な嗜好に
And smack your lips	そして舌鼓を打ちなさい
as you feast,	ごちそうを食べながら
while feeling like	〜の気分になりながら
a Kumamoto-clan samurai.	熊本藩の武士

熊本県

STEP 2 まずは ゆっくりシャドーイング

テキストを見ながら、赤字で書き込まれた「音の注意点」を意識し、CD音声を聴いて3回以上シャドーイングしましょう。

Kumamoto Castle is one of the three great castles, along with Nagoya and Osaka castles. It's an Important Cultural Property and a Special Historical Site, and one of the 100 best places in Japan to view cherry blossoms.

The current castle was built in seven years from 1601 by Kiyomasa Kato, a great commander. It has big and small towers, 49 turrets and 29 gates, and the grounds are 21-times bigger than Tokyo Dome. The beautiful Kiyomasa-style stone wall is very famous.

The free Kumamoto Oshiro Guide service, for individuals or small groups, helps you see the expansive castle in the most efficient way.

Did you know you can also eat dishes named after the old Kumamoto clan? Enjoy a meal using local special ingredients based on the ancient tray-served meals served in ceremonies by samurai families, with flavors adjusted to modern tastes. And smack your lips as you feast, while feeling like a Kumamoto-clan samurai.

STEP 3 挑戦！同時シャドーイング　CD 1-9　CD 1-10

熊本県

テキストなしでのシャドーイングに挑戦です！　文の意味を意識しながら、つっかえずに言えるようになるまで何度も練習しましょう。目指せ！　ナチュラルスピード！

STEP 4 仕上げ クイズで理解度チェック！

内容に関するクイズに答えて、学習の成果を確認しましょう！

Q1　1601 年から 7 年かけて熊本城を築城した武将はだれですか。
Q2　熊本城には 29 の何があると言っていますか。
Q3　熊本城で提供されているガイドサービスの名前と料金は？

A1 _____
A2 _____
A3 _____

日本語訳

　熊本城は、名古屋城、大阪城と並んで、日本三大名城のひとつに挙げられることがあります。熊本城は、国の重要文化財および特別史跡として指定され、「日本さくら名所 100 選」にも選ばれています。

　現存する熊本城は、1601 年から 7 年の歳月をかけ、名将加藤清正によって築城されました。大小の天守閣をはじめ、49 の櫓（turret）や 29 もの城門を有し、城郭は実に東京ドーム 21 個分の広さがあります。清正流石垣と呼ばれる美しい石垣も、よく知られています。

　個人あるいは小グループの入園者を対象にした、くまもとお城ガイドという無料ガイドサービスを利用すれば、広大な熊本城を効率よく見学できますよ。

　また、熊本城では、かつての熊本藩にちなんだ料理も食べられるんです。当時の武家で、儀式などの際に食されていた本膳料理を参考に、熊本名物なども取り入れて、現代の嗜好に合わせた料理を楽しめます。あなたも往時の熊本藩の武士になったつもりで、おいしい御膳料理に舌鼓を打ってみてはいかがでしょう？

A1：加藤清正（Kiyomasa Kato）／ **A2**：城門（gates）／ **A3**：くまもと お城ガイド（Kumamoto Oshiro Guide）・無料（free）

長崎県 ★ 菓子

県庁所在地 ★ 長崎市
面　　　積 ★ 4,105 km²
人　　　口 ★ 1,409,145 人
　　　　　　（推計　2012/7/1 現在）
人 口 密 度 ★ 343 人 /km²
公　　　式 ★ www.pref.nagasaki.jp

Castella — A delicious treat from Europe
ヨーロッパから伝わりし美味――カステラ

STEP 1　音読でウォーミングアップ

スクリプトを見て、ひとかたまりごとに意味を確認しながら
3回音読してみましょう。ここではCDは聴きません。

▶ The local specialty of Nagasaki,　　　▶ 長崎の特産品は
castella,　　　　　　　　　　　　　　カステラ
is generally said　　　　　　　　　　　　一般的に言われている
to have been modeled after　　　　　　　元になっていると
the desserts brought over　　　　　　　　持ち込まれた菓子が
by Spanish and Portuguese　　　　　　　スペイン人やポルトガル人の
missionaries and merchants　　　　　　　宣教師や商人
in the 16th century.　　　　　　　　　　16世紀に
It's a type of cake　　　　　　　　　　　これは一種のケーキだ
made with eggs, flour and sugar.　　　　 卵と小麦粉と砂糖でできた
▶ Because *castella*　　　　　　　　　　▶ カステラは〜なため
is full of nutrient-rich ingredients,　　　　栄養豊富な材料でいっぱいだ
in the past　　　　　　　　　　　　　　かつては

it was also given to patients	それは患者にも与えられていた
suffering from debilitating diseases	衰弱性疾患で苦しんでいる
such as tuberculosis.	結核のような
▶ Over the years,	▶ 時代の流れによって
the ingredients used in *castella*	カステラで使われる材料は
have been gradually modified	徐々に変えられてきた
to match the Japanese tastes.	日本人の好みに合うように
For example,	たとえば
starch syrup	水飴は
is used to add sweetness	甘さを追加するために使われる
along with sugar,	砂糖に並んで
and baking *castella*	また、カステラを焼くことは
in the uniquely Japanese *hikikama* oven	日本独特の引き釜で
produces the moist texture.	しっとりとした食感を産む
Castella,	カステラは
although from the West,	西洋から来たものだが
is so familiar in Japan	日本であまりにも親しまれているので
that it can be called	それはしばしば〜と呼ばれる
Japanese confectionary.	和菓子
▶ The cakes	そのケーキは
are cut into standard sizes,	決まったサイズに切られる
and so the trimmings	なのでその切れ端は
are cheap	安い
and the perfect size	そして最適なサイズ
for a little taste.	ちょっと試食するのに

長崎県

STEP 2 まずは ゆっくりシャドーイング

テキストを見ながら、赤字で書き込まれた「音の注意点」を意識し、CD音声を聴いて3回以上シャドーイングしましょう。

　The local specialty of Nagasaki, *castella*, is generally said to have been modeled after the desserts brought over by Spanish and Portuguese missionaries and merchants in the 16th century. It's a type of cake made with eggs, flour and sugar.

　Because *castella* is full of nutrient-rich ingredients, in the past it was also given to patients suffering from debilitating diseases such as tuberculosis.

　Over the years, the ingredients used in *castella* have been gradually modified to match the Japanese tastes. For example, starch syrup is used to add sweetness along with sugar, and baking *castella* in the uniquely Japanese *hikikama* oven produces the moist texture. *Castella*, although from the West, is so familiar in Japan that it can be called Japanese confectionary.

　The cakes are cut into standard sizes, and so the trimmings are cheap and the perfect size for a little taste.

STEP 3 挑戦！同時シャドーイング　CD 1-11　CD 1-12

長崎県

テキストなしでのシャドーイングに挑戦です！　文の意味を意識しながら、つっかえずに言えるようになるまで何度も練習しましょう。目指せ！　ナチュラルスピード！

STEP 4 仕上げ クイズで理解度チェック！

内容に関するクイズに答えて、学習の成果を確認しましょう！

Q1　カステラは、ポルトガルとスペインのどんな人たちが伝えましたか。
Q2　カステラは栄養価が高いため、どんな病気の患者に与えられていましたか。
Q3　現代のカステラでは、甘さを出すために砂糖と何が使われていますか。

A1 _____
A2 _____
A3 _____

日本語訳

　長崎名物のカステラは一般的に、16世紀にスペイン、ポルトガルの宣教師や貿易商人によって伝えられたお菓子が原形になっていると言われています。玉子と小麦粉と砂糖で作られる一種のケーキと言えるでしょう。
　カステラには栄養価の高い材料が豊富に含まれているため、かつては、結核などで体力が消耗した患者に対する一種の栄養食として用いられていたこともあります。
　カステラは、時代の流れと共に、日本人の好みに合わせて、素材の配合も次第に変化していきました。たとえば、甘さについてはただ砂糖だけではなく水飴を併用し、焼き方も日本独自の引き釜というオーブンを使うことで、現在のようなしっとりした食感になりました。西洋から伝わったカステラも、今では「和菓子」と呼べるほど、日本人になじみ深いものとなっています。
　決まったサイズにカットされたときに出る切れ端が安く売られているので、ちょっと食べてみるのに最適ですよ。

A1：宣教師や商人（missionaries and merchants）／A2：結核（tuberculosis）／A3：水飴（starch syrup）

佐賀県 ★ 焼物

県庁所在地 ★ 佐賀市
面　　積 ★ 2,440km²
人　　口 ★ 843,916 人
　　　　　（推計　2012/7/1 現在）
人口密度 ★ 346 人 /km²
公　　式 ★ www.pref.saga.lg.jp

Arita porcelain — from Saga to the world
佐賀から世界へ──有田焼

STEP 1 音読でウォーミングアップ

スクリプトを見て、ひとかたまりごとに意味を確認しながら
3回音読してみましょう。ここではCDは聴きません。

▶ Arita-yaki
is 400-year old porcelain
from Arita in Saga prefecture.
The pieces
have bright, elegant pictures
drawn in transparent white porcelain.
▶ In the early 17th century,
a group led by
the Korean potter Yi Sam-pyeong
discovered a pottery stone
in the Izumi Mountains of Arita.
He was the first
to make porcelain in Japan.

▶ 有田焼は
400年の歴史をもつ磁器だ
佐賀県有田で作られる
有田焼の磁器は
明るい華やかな絵柄をもつ
透き通るような白い磁器に描かれた
▶17世紀初頭に
によって率いられた一団
朝鮮人の陶工・李参平
陶石を発見した
有田の泉山で
彼は最初でした
日本で白磁を作った

佐賀県

In those days, it was shipped from Imari Port, and so *Arita-yaki* is sometimes called *Imari*.

▶ *Arita-yaki* was exported to Europe in the later half of the 17th century, and it, along with Chinese porcelain, greatly influenced European pottery. The unique *Arita-yaki* red, green and yellow pattern called *Kakiemon* style was loved by Europe's aristocrats.

▶ Every year during Golden Week in spring, the Arita Ceramic Bazaar is held in Arita. Over 500 shops set up business and over a million people come from around the country. You'll find all kinds of pottery, from daily items costing less than 100 yen to masterpieces costing millions of yen.

当時 それは伊万里港から出荷された そのため有田焼は 伊万里と呼ばれることがある

▶ 有田焼は ヨーロッパに輸出された 17世紀後半に そしてそれは中国の磁器とともに ヨーロッパの陶器に大きな影響を与えた そのユニークな 有田焼の赤、緑、黄色の模様は 柿右衛門様式と呼ばれる ヨーロッパの貴族に愛された

▶ 毎年 春のゴールデンウィーク中に 有田陶器市が 有田で開催される 500以上の店舗が 出店する そして100万人以上が 全国各地から訪れる あなたは見つけるだろう あらゆる陶器を 日用品から 100円以下の 美術品まで 何百万円もする

STEP 2 まずは ゆっくりシャドーイング

テキストを見ながら、赤字で書き込まれた「音の注意点」を意識し、CD音声を聴いて3回以上シャドーイングしましょう。

Arita-yaki is 400-year old porcelain from Arita in Saga prefecture. The pieces have bright, elegant pictures drawn in transparent white porcelain.

In the early 17th century, a group led by the Korean potter Yi Sam-pyeong discovered a pottery stone in the Izumi Mountains of Arita. He was the first to make porcelain in Japan. In those days, it was shipped from Imari Port, and so *Arita-yaki* is sometimes called *Imari*.

Arita-yaki was exported to Europe in the later half of the 17th century, and it, along with Chinese porcelain, greatly influenced European pottery. The unique *Arita-yaki* red, green and yellow pattern called *Kakiemon* style was loved by Europe's aristocrats.

Every year during Golden Week in spring, the Arita Ceramic Bazaar is held in Arita. Over 500 shops set up business and over a million people come from around the country. You'll find all kinds of pottery, from daily items costing less than 100 yen to masterpieces costing millions of yen.

STEP 3 挑戦！同時シャドーイング CD 1-13 CD 1-14

テキストなしでのシャドーイングに挑戦です！　文の意味を意識しながら、つっかえずに言えるようになるまで何度も練習しましょう。目指せ！　ナチュラルスピード！

佐賀県

STEP 4 仕上げ クイズで理解度チェック！

内容に関するクイズに答えて、学習の成果を確認しましょう！

Q1　有田焼の別名は何ですか。
Q2　「柿右衛門様式」は、だれに好まれましたか。
Q3　有田陶器市はいつ開催され、どのぐらいの出店数がありますか。

A1
A2
A3

日本語訳

　約400年の伝統を持つ有田焼は佐賀県の有田町で作られる磁器の総称です。透き通るように美しい白磁と、その上に描かれる雅やかで華やかな絵付けが特徴です。
　17世紀初頭、朝鮮人陶工・李参平らが有田の泉山で陶石を発見し、日本初の白磁を焼いたことが起源と言われています。当時は、その積み出しが伊万里港からなされていたので、有田焼は「伊万里」という別名で呼ばれることもあります。
　有田焼は、17世紀後半にヨーロッパに輸出され、中国陶磁とともに、ヨーロッパの陶芸に大きな影響を与えました。柿右衛門様式と呼ばれる、赤・緑・黄で作られた有田焼独特の文様は、当時のヨーロッパの王侯貴族たちを大いに魅了しました。
　有田では毎年春のゴールデンウィークの期間中に、有田陶器市が開かれています。500以上もの店舗が出店され、全国から100万人以上の人たちが訪れます。百円を切るような安価な日用品の陶器から、何百万円もする美術品まで、さまざまな陶器が販売されていますよ。

A1：伊万里（Imari）／A2：ヨーロッパの王侯貴族たち（Europe's aristocrats）／A3：ゴールデンウィークの間（during Golden Week）・500店以上（over 500 shops）

福岡県 ★ 屋台

県庁所在地 ★ 福岡市博多区
面　　積 ★ 4,845 km²
人　　口 ★ 5,083,050 人
　　　　　（推計　2012/7/1 現在）
人口密度 ★ 1049 人/km²
公　　式 ★ www.pref.fukuoka.lg.jp

Enjoy Hakata flavors at the food stalls
屋台で愉しむ博多の味

STEP 1　音読でウォーミングアップ

スクリプトを見て、ひとかたまりごとに意味を確認しながら3回音読してみましょう。ここではＣＤは聴きません。

▶ One thing to enjoy in Fukuoka　　　▶ 福岡を楽しむ１つのことは
is the food stalls.　　　　　　　　　　屋台だ
Despite a decline in recent years,　　 近年の減少にも関わらず
there are said to be　　　　　　　　　 あると言われている
more than 160.　　　　　　　　　　　 160 以上
The stalls have　　　　　　　　　　　 屋台は持つ
all kinds of food,　　　　　　　　　　 あらゆる食べ物を
but you have to try　　　　　　　　　 だが試してみるべき
Hakata ramen,　　　　　　　　　　　 博多ラーメン
usually made with white soup　　　　 通常白いスープで作られた
from pork bone　　　　　　　　　　　豚骨から
and thin noodles.　　　　　　　　　　そして細い麺から
▶ When you order,　　　　　　　　　▶ 注文する時

you can specify noodle texture,	麺の固さを指定できる
such as *yawa*,	「ヤワ」のような
meaning "soft,"	柔らかいを意味する
or *bari-kata*,	もしくは「バリカタ」
meaning "very hard."	とても固いを意味する
In the local dialect	その土地の方言で
bari means "very."	「バリ」は「とても」という意味だ
▶ Another unique thing	▶ もう１つの面白いことは
is *kaedama*.	「替え玉」だ
The thin noodles take moments	細い麺はすぐに〜できる
to cook,	ゆで上がる
so you can just order	だから注文すればいい
an additional noodle serving.	お代わりの麺を
But don't drink too much soup	しかしスープを飲みすぎないこと
before ordering more noodles.	替え玉を頼む前に
▶ Besides ramen stalls,	▶ ラーメン屋台以外には
there are *gyoza*-dumpling stalls,	餃子の屋台がある
Western-style bar stalls	西洋スタイルのバー
and more.	そしてその他いろいろ
It's hard	それは難しい
to pick out just one.	１つだけを選ぶのは
The stalls	屋台は
have a unique and strange appeal.	独特の不思議な魅力がある
Eating in such cozy spaces with others	他人と居心地のいい空間で食べること
creates a friendly feel	フレンドリーな気分を生む
of community.	集団としての

福岡県

STEP 2 まずは ゆっくりシャドーイング

テキストを見ながら、赤字で書き込まれた「音の注意点」を意識し、CD音声を聴いて3回以上シャドーイングしましょう。

One thing to enjoy in Fukuoka is the food stalls. Despite a decline in recent years, there are said to be more than 160. The stalls have all kinds of food, but you have to try Hakata ramen, usually made with white soup from pork bone and thin noodles.

When you order, you can specify noodle texture, such as *yawa*, meaning "soft," or *bari-kata*, meaning "very hard." In the local dialect *bari* means "very."

Another unique thing is *kaedama*. The thin noodles take moments to cook, so you can just order an additional noodle serving. But don't drink too much soup before ordering more noodles.

Besides ramen stalls, there are *gyoza*-dumpling stalls, Western-style bar stalls and more. It's hard to pick out just one. The stalls have a unique and strange appeal. Eating in such cozy spaces with others creates a friendly feel of community.

STEP 3 挑戦！同時シャドーイング CD 1-15 CD 1-16

福岡県

テキストなしでのシャドーイングに挑戦です！　文の意味を意識しながら、つっかえずに言えるようになるまで何度も練習しましょう。目指せ！　ナチュラルスピード！

STEP 4 仕上げ クイズで理解度チェック！

内容に関するクイズに答えて、学習の成果を確認しましょう！

Q1　福岡県を訪れる楽しみの１つとは何だと言っていますか。
Q2　博多ラーメンの特徴は、極細麺ともう１つは何ですか。
Q3　麺の固さを表す言葉「バリカタ」の「バリ」は博多弁で何という意味ですか。

A1
A2
A3

日本語訳

　福岡を訪れる楽しみの１つは屋台です。近年減少傾向ではありますが、その数は160軒以上にのぼると言われています。豚骨メインの乳白色のスープと極細麺が特徴の、博多ラーメンの屋台を中心に、さまざまな料理を出す屋台があります。
　博多ラーメンを注文するとき、麺の固さを細かく指定できます――「ヤワ」で「柔らかい」、「バリカタ」で「とても固い」のように。「バリ」はこの地方の方言で「とても」という意味です。
　また、替え玉というシステムも独特です。麺が細くてすぐに茹で上がるので、「もっと食べたい」と思ったら、麺だけのお代わりを頼めます。替え玉を頼むときには、スープをあまり飲みすぎないように注意しましょう。
　ラーメン以外にも、餃子の店や、洋風のバーをやっている屋台などもあります。どれに入ろうか、思わず迷ってしまうぐらいです。屋台には他の飲食店にはない不思議な魅力があります。知らない人たちと居心地のいい空間でいっしょに食べることで、心地よい連帯感が生まれます。

A1：食べ物の屋台（the food stalls）／A2：豚骨からとった乳白色のスープ（white soup from pork bone）／A3：とても（very）

お役立ち表現 ❶ 日本の食べ物

焼き魚	broiled fish
刺身	(sliced) raw fish
鯵(あじ)	horse mackerel
鰯(いわし)	sardine
鮪(まぐろ)	tuna
鰹(かつお)	bonito
鮭(さけ)	salmon
鮎(あゆ)	sweetfish
エビ	shrimp
イカ	squid; calamari
タコ	octopus
ウニ	sea urchin
イクラ	salmon roe
数の子	herring roe
たらこ	cod roe
明太子	spicy cod roe
のり	dried seaweed
もずく	mozuku seaweed
昆布	kelp
かつおぶし	dried bonito flakes
さつまあげ	fish cake; Satsumaage
牛丼	beef bowl
親子丼	chicken and egg rice-bowl
カツ丼	pork cutlet rice-bowl
お茶漬け	boiled rice soaked with tea
おにぎり	rice ball
赤飯	rice boiled with red beans
もち	rice cake
雑煮	New Year soup with rice cakes and vegetables
味噌汁	miso soup
お好み焼き	okonomiyaki; Japanese hot plate pizza
焼肉	grilled meat
とんかつ	pork cutlet
肉じゃが	beef and potato stew
酢の物	vinegared dish
つけもの	pickles
たくわん	pickled radish
がり	pickled ginger
竹の子	bamboo shoot
ごぼう	burdock
しいたけ	shiitake mushroom
あずき	red bean; Azuki bean
枝豆	green soybean
銀杏	ginkgo nut
わさび	wasabi; Japanese horseradish
絹ごし豆腐	silken tofu
油揚げ	deep fried bean curd
御節料理	special New Year's food(s)
だし汁	broth; soup stock
そば	soba noodles; buckwheat noodles
即席ラーメン	instant ramen

四国地方

高知出身のあの人物に、英語学習者として敬意を払い、愛媛で太陽の果実を味わう。香川名物ずずっとすすり、徳島の祭りで盛り上がろう！

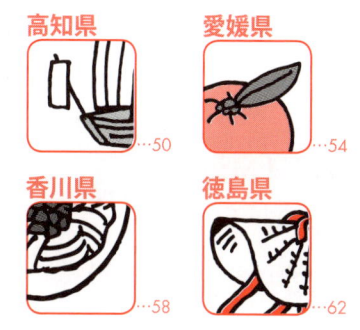

高知県 …50
愛媛県 …54
香川県 …58
徳島県 …62

お役立ち表現❷ …… 66

高知県 ★ 人物

県庁所在地 ★ 高知市
面　　積 ★ 7,105 km²
人　　口 ★ 752,987 人
　　　　　（推計　2012/7/1 現在）
人口密度 ★ 106 人/km²
公　　式 ★ www.pref.kochi.lg.jp

John Manjiro — a global man at the end of the shogun days
幕末の国際人、ジョン万次郎

STEP 1　音読でウォーミングアップ

スクリプトを見て、ひとかたまりごとに意味を確認しながら3回音読してみましょう。ここではCDは聴きません。

▶ One of the famous people　　　▶ 有名な人々の1人は
to come out of Kochi prefecture　　高知県から出た
is John Manjiro.　　　　　　　　　ジョン万次郎だ
He was the first Japanese　　　　　彼は最初の日本人だった
to cross the ocean to America.　　　海を渡ってアメリカに行った
In 1841,　　　　　　　　　　　　1841年に
the 14-year old Manjiro　　　　　　14歳の万次郎は
was helping on a fishing boat,　　　漁船で手伝いをしていた
when the boat was swept away　　　ボートが流されたとき
by a storm.　　　　　　　　　　　嵐によって
Later,　　　　　　　　　　　　　その後
the crew was rescued　　　　　　　乗組員たちは救助された
by an American whaling ship.　　　　アメリカの捕鯨船によって

The captain liked Manjiro,	船長は万次郎を気に入った
and Manjiro decided	そして万次郎は決意した
to go to America with him.	彼と一緒にアメリカに行くこと
▶ In the United States,	▶ アメリカでは
he was educated in English,	彼は英語の教育を受けた
and also surveying and shipbuilding,	また、測量、造船も
and in 1851,	そして1851年に
he returned to Japan.	彼は日本に戻った
In 1859,	1859年に
Manjiro completed	万次郎は完成させた
the first major English conversation book	最初の本格的な英会話の本を
in Japan	日本における
called *Eibei-taiwa-shokei*.	『英米対話捷径』と呼ばれる
Beginning with the alphabet,	アルファベットから始まり
the book has	その本はもつ
more than 200 sentences	200以上の文
with pronunciation	発音付きで
in phonetic characters.	音声記号による
▶ He also interacted	▶ 彼はまた交流した
with politicians,	政治家と
and he was once encouraged	そして彼はかつて奨励された
to enter politics,	政界に入るように
but he chose to work in education	しかし彼は教育界で働くことを選んだ
and help train the next generation.	そして次世代を育成する
He died in 1898	彼は1898年に死亡した
at the age of 71.	71歳の時に

高知県

STEP 2 まずは ゆっくりシャドーイング

テキストを見ながら、赤字で書き込まれた「音の注意点」を意識し、CD音声を聴いて3回以上シャドーイングしましょう。

One of the famous people to come out of Kochi prefecture is John Manjiro. He was the first Japanese to cross the ocean to America. In 1841, the 14-year old Manjiro was helping on a fishing boat, when the boat was swept away by a storm. Later, the crew was rescued by an American whaling ship. The captain liked Manjiro, and Manjiro decided to go to America with him.

In the United States, he was educated in English and also surveying and shipbuilding, and in 1851, he returned to Japan. In 1859, Manjiro completed the first major English conversation book in Japan called *Eibei-taiwa-shokei*. Beginning with the alphabet, the book has more than 200 sentences with pronunciation in phonetic characters.

He also interacted with politicians, and he was once encouraged to enter politics, but he choose to work in education and help train the next generation. He died in 1898 at the age of 71.

STEP 3 挑戦！同時シャドーイング

CD 1-17　CD 1-18

テキストなしでのシャドーイングに挑戦です！　文の意味を意識しながら、つっかえずに言えるようになるまで何度も練習しましょう。目指せ！　ナチュラルスピード！

STEP 4 仕上げ クイズで理解度チェック！

内容に関するクイズに答えて、学習の成果を確認しましょう！

Q1　遭難したジョン万次郎は何によって救われましたか。
Q2　ジョン万次郎がアメリカで受けた教育は英語のほかに何がありますか。
Q3　1859年、ジョン万次郎が完成させたものは何ですか。

A1
A2
A3

日本語訳

　高知県を代表する有名な人物の1人に、ジョン万次郎がいます。日本人として、はじめてアメリカに渡った人物です。1841年、当時14歳だった万次郎は、漁の手伝いに出ているときに嵐に遭い、遭難してしまいます。その後アメリカの捕鯨船に救助されます。船長に気に入られた万次郎は本人の希望もあって、アメリカに渡ることにしました。

　アメリカでは、英語はもちろん、測量や造船技術などの教育を受け、1851年、万次郎は日本に帰国します。そして1859年、万次郎は日本で最初の本格的な英会話教本『英米対話捷径』を完成させます。アルファベットから始まり、日本語と発音表記を付けた会話英文が200以上収録されています。

　彼はまた多くの政治家とも交流を持ち、一時は政治の世界への誘いもありましたが、次世代の若者たちを育てるために教育者としての道を選び、1898年、71歳でこの世を去りました。

A1：アメリカの捕鯨船（American whaling ship）／A2：測量や造船技術（surveying and shipbuilding）／A3：英会話教本（English conversation book）

愛媛県 ★ 蜜柑

県庁所在地 ★ 松山市
面　　積 ★ 5,678 km²
人　　口 ★ 1,416,086 人
　　　　　（推計　2012/7/1 現在）
人口密度 ★ 249 人 /km²
公　　式 ★ www.pref.ehime.jp

Mikan grown under the three suns
「三つの太陽」に育てられるみかん

STEP 1　音読でウォーミングアップ

スクリプトを見て、ひとかたまりごとに意味を確認しながら3回音読してみましょう。ここではCDは聴きません。

▶ Japanese *mikan*	▶ 日本のみかんは
are popular	人気がある
—especially in the winter—	とくに冬の間
in Japan and abroad	日本および海外で
because they're sweet	なぜならそれらは甘い
and easy to peel.	そして剥きやすい
Canadians,	カナダの人たちは
lacking fruit to eat in the winter,	冬に食べる果物がない
have fallen in love	好きになった
with *mikan* from Japan	日本から来るみかんを
and call them	そしてそれを呼ぶ
Christmas oranges.	クリスマスオレンジと
In America,	アメリカでは

there're often peeled and eaten	しばしば剥いて食べられる
while watching TV,	テレビを見ている間
so they're sometimes called	だからしばしば呼ばれる
TV oranges.	TV オレンジと
▶ Ehime prefecture	▶ 愛媛県は
is especially famous	とくに有名だ
for its production of *mikan* citrus.	みかんの生産で
Cultivation of *mikan* began	みかんの栽培は始まった
in Ehime in the Edo period.	愛媛県において江戸時代に
▶ One of the reasons	▶ 理由の1つは
Ehime *mikan* are so delicious	愛媛のみかんがとてもおいしい
is said to be	だと言われている
that along the coast of the prefecture,	県の海岸線では
there are *three suns*.	3つの太陽がある
The orchards on the slopes	斜面の果樹園は
along the ocean	海沿いの
are blessed with sunshine	日照に恵まれている
from above,	上からの
sunshine reflecting from the ocean,	そして海から反射する太陽の光
and sunshine reflecting	そして太陽の反射
from the stone cliffs,	石垣からの
making them nice and sweet.	みかんを甘く美味しくする
▶ Ehime *mikan*,	▶ 愛媛みかんは
the children of the sun,	太陽の子ども
are filled with	満たされている
lots and lots of sunshine.	たくさんの日の光

愛媛県

STEP 2 　まずは ゆっくりシャドーイング

テキストを見ながら、赤字で書き込まれた「音の注意点」を意識し、CD音声を聴いて3回以上シャドーイングしましょう。

　　Japanese *mikan* are popular —especially in the winter— in Japan and abroad because they're sweet and easy to peel. Canadians, lacking fruit to eat in the winter, have fallen in love with *mikan* from Japan and call them *Christmas oranges*. In America, there're often peeled and eaten while watching TV, so they're sometimes called TV oranges.

　　Ehime prefecture is especially famous for its production of *mikan* citrus. Cultivation of *mikan* began in Ehime in the Edo period.

　　One of the reasons Ehime *mikan* are so delicious is said to be that along the coast of the prefecture, there are *three suns*. The orchards on the slopes along the ocean are blessed with sunshine from above, sunshine reflecting from the ocean, and sunshine reflecting from the stone cliffs, making them nice and sweet.

　　Ehime *mikan*, the children of the sun, are filled with lots and lots of sunshine.

STEP 3 挑戦！同時シャドーイング

CD 1-19　CD 1-20

テキストなしでのシャドーイングに挑戦です！　文の意味を意識しながら、つっかえずに言えるようになるまで何度も練習しましょう。目指せ！　ナチュラルスピード！

STEP 4 仕上げ クイズで理解度チェック！

内容に関するクイズに答えて、学習の成果を確認しましょう！

Q1　カナダでは、冬に日本から届くみかんを何と言いますか。
Q2　みかん栽培が愛媛で始まったのはいつですか。
Q3　3つの太陽とは、「空からふりそそぐ太陽の光」以外は何ですか。

A1 _____
A2 _____
A3 _____

日本語訳

　甘くて皮もむきやすい日本のみかんは、とくに冬の間、日本だけでなく海外でも人気があります。カナダでは冬場に食べられるフルーツがなかったことから、日本から来るみかんは「クリスマスオレンジ」と呼ばれ、大変親しまれています。アメリカでは、テレビを見ながらでもむいて食べられることから、TVオレンジと呼ばれることもあります。

　愛媛県はかんきつ類、とくにみかんの産地としてとても有名です。愛媛で、みかんの栽培が始まったのは江戸時代でした。

　愛媛のみかんを美味しくする要因のひとつに、県の海岸沿いにおいて見られる「3つの太陽」というものがあります。海岸線の傾斜地で育てられるみかんは、空からふりそそぐ太陽の光、海から反射する太陽の光、石垣から放出される太陽の光という3つの太陽を浴びて、甘く美味しくなるのです。

　愛媛のみかんは、太陽をいっぱい、いっぱい浴びて育つ、太陽の子供なのです。

A1：クリスマスオレンジ（Christmas oranges）／A2：江戸時代（Edo period）／A3：海から反射する太陽の光（sunshine reflecting from the ocean）、石垣から放出される太陽の光（sunshine reflecting from the stone cliffs）

香川県 ★ 饂飩

県庁所在地 ★ 高松市
面　　積 ★ 1,862 km²
人　　口 ★ 989,548 人
　　　　　（推計　2012/7/1 現在）
人口密度 ★ 531 人/km²
公　　式 ★ www.pref.kagawa.jp

Udon--soul food for Kagawa
香川県民のソウルフード、うどん

STEP 1　音読でウォーミングアップ

スクリプトを見て、ひとかたまりごとに意味を確認しながら
3回音読してみましょう。ここではＣＤは聴きません。

▶ Udon	▶ うどんは
is a unique Japanese noodle.	日本独特の麺だ
A flour, salt and water dough	小麦粉と塩と水の生地は
is rolled out and cut into strips	延ばされて細く切られる
for a treat	ご馳走として
loved by young and old,	老若に愛される
male and female.	男女
▶ Kagawa prefecture	▶ 香川県は
leads Japan	日本をリードする
in *udon* production	うどんの生産で
and consumption.	そして消費で
One survey says	ある調査は言う
the average person	平均的な人は

annually eats 230 servings of *udon*,	1年間でうどん230杯を食べる
twice the national average.	全国平均の2倍の
That means they eat *udon*	つまり彼らはうどんを食べる
more than four times a week.	週に4回以上
So *udon* is definitely	だからうどんは絶対に
the food of Kagawa.	香川の県民食だ
▶ Kagawa's *udon*,	▶ 香川のうどんは
called Sanuki *udon*,	讃岐うどんと呼ばれる
is cooked and eaten	調理され食べられる
in various ways.	様々な方法で
Most popular	最も人気は
is to cool cooked noodles in water	ゆでた麺を水で冷やす
to firm them,	コシを出すために
return them to hot water,	お湯に戻し
and serve with warm broth	温かい出汁に入れて供される
for *kake-udon*.	かけうどんとして
▶ *Kama-age udon*	▶ 釜揚げうどんは
is also very popular.	またとても人気がある
Without firming,	水でしめずに
the noodles in the hot water are moved	茹で汁に入れたまま麺が移される
from the pot to a bowl,	鍋から容器に
then the noodles	そして麺は
are dipped in rich broth.	つけ汁につけられる
▶ Either way,	▶ どちらにしても
it's delicious,	それはおいしい
so definitely visit Kagawa	だから絶対に香川を訪れなさい
and try their *udon*.	そしてうどんを試しなさい

香川県

STEP 2 まずは ゆっくりシャドーイング

テキストを見ながら、赤字で書き込まれた「音の注意点」を意識し、CD音声を聴いて3回以上シャドーイングしましょう。

Udon is a unique Japanese noodle. A flour, salt and water dough is rolled out and cut into strips for a treat loved by young and old, male and female.

Kagawa prefecture leads Japan in *udon* production and consumption. One survey says the average person annually eats 230 servings of *udon*, twice the national average. That means they eat *udon* more than four times a week. So *udon* is definitely the food of Kagawa.

Kagawa's *udon*, called Sanuki *udon*, is cooked and eaten in various ways. Most popular is to cool cooked noodles in water to firm them, return them to hot water, and serve with warm broth for *kake-udon*.

Kama-age udon is also very popular. Without firming, the noodles in the hot water are moved from the pot to a bowl, then the noodles are dipped in rich broth.

Either way, it's delicious, so definitely visit Kagawa and try their *udon*.

STEP 3 挑戦！同時シャドーイング CD 1-21 CD 1-22

テキストなしでのシャドーイングに挑戦です！　文の意味を意識しながら、つっかえずに言えるようになるまで何度も練習しましょう。目指せ！　ナチュラルスピード！

STEP 4 仕上げ クイズで理解度チェック！

内容に関するクイズに答えて、学習の成果を確認しましょう！

香川県

Q1　香川県民のうどん年間消費量は何玉ですか。
Q2　それは全国平均と比べてどうだと言っていますか。
Q3　温かい出汁で食べる「かけうどん」。その調理工程において、茹でたうどんを一度どうすると言っていますか。

A1
A2
A3

日本語訳

　日本独特の麺類の1つにうどんがあります。小麦粉に塩と水を加え、平たく延ばしてから細く切った物で、老若男女問わず、多くの日本人から愛されています。
　香川県はうどんの生産量、消費量が共に全国1位です。また、あるアンケートによると、香川県民のうどん年間消費量は230玉で、全国平均の2倍。1週間に4食以上のうどんを食べている計算になります。まさに、うどんは香川県の県民食と言えるでしょう。
　香川県特産のうどんは讃岐うどんと呼ばれ、さまざまな調理法や食べ方があります。いちばんポピュラーなのは、ゆでた麺を水で洗って締めた後、もう一度お湯で温めてから、温かいだし汁をかけて食べるかけうどんです。
　釜揚げうどんも、絶大な人気を誇ります。こちらは、ゆでた麺を水で締めず、麺を鍋からゆで汁とともに容器に移し、つけ汁につけて食べるスタイルです。
　どちらもとてもおいしいですから、ぜひ香川に来て、実際に食べてみてください。

A1：230玉（230 servings）／A2：2倍（twice）／A3：水で洗って冷やす（cool cooked noodles in water）

徳島県 ★ 祭

県庁所在地 ★ 徳島市
面　　積 ★ 4,147 km²
人　　口 ★ 776,790 人
　　　　　（推計　2012/7/1 現在）
人口密度 ★ 187 人/km²
公　　式 ★ www.pref.tokushima.jp

Awa-odori — What kind of fool are you?
どっちの「阿呆」になりますか？　阿波踊り

STEP 1　音読でウォーミングアップ

スクリプトを見て、ひとかたまりごとに意味を確認しながら3回音読してみましょう。ここではCDは聴きません。

▶ The Awa-odori dance, ▶ 阿波踊りは
considered one of the major three　3大〜の1つと見なされる
bon dances,　盆踊り
originated　始められた
in Tokushima prefecture.　徳島県で
▶ In mid-August,　▶ 8月中旬に
around Obon time,　お盆の時期
Awa-odori festivals　阿波踊りは
are held in various places.　様々な場所で開催される
The biggest　最大は
is the Tokushima Awa-odori　徳島阿波踊りだ
in Tokushima City,　徳島市の
where it attracts　それは引きつける

1.3 million visitors each year.	毎年130万人の訪問者を
▶ There are	▶ ～がある
two types of dance,	2種類の踊りが
the heroic and humorous male dance	勇壮で滑稽な男踊り
and the elegant and charming female dance.	そして上品であだっぽい女踊り
The Awa-odori	阿波踊りは
is performed	踊られる
by groups called *ren*.	連と呼ばれるグループで
Awa-odori	阿波踊りは
is performed	踊られる
in two-part time,	2拍子で
but the pace	しかしテンポは
depends on the *ren*,	連によりけりだ
so each group	だから各グループは
is unique,	特徴がある
making it fun to watch.	見て楽しいものにする
▶ Incidentally,	▶ ところで
anyone can participate	だれでも参加できる
in the group called the *niwaka-ren*.	「にわか連」という集団に
Awa-odori	阿波踊りは
is more fun	ずっと楽しい
to actually do than just see,	見るよりも踊るほうが
so how about giving into the lyrics	だから歌詞にのっとってみないか
"Dancing fool, watching fool:	「踊る阿呆に見る阿呆
all fools, so let's all dance!"	同じ阿呆なら踊らな損損」
and joining in the fun?	そして楽しいイベントに参加する

徳島県

STEP 2 まずは ゆっくりシャドーイング

テキストを見ながら、赤字で書き込まれた「音の注意点」を意識し、CD音声を聴いて3回以上シャドーイングしましょう。

The Awa-odori dance, considered one of the major three *bon* dances, originated in Tokushima prefecture.

In mid-August, around Obon time, Awa-odori festivals are held in various places. The biggest is the Tokushima Awa-odori in Tokushima City, where it attracts 1.3 million visitors each year.

There are two types of dance, the heroic and humorous male dance and the elegant and charming female dance. The Awa-odori is performed by groups called *ren*. Awa-odori is performed in two-part time, but the pace depends on the *ren*, so each group is unique, making it fun to watch.

Incidentally, anyone can participate in the group called the *niwaka-ren*. Awa-odori is more fun to actually do than just see, so how about giving into the lyrics "Dancing fool, watching fool: all fools, so let's all dance!" and joining in the fun?

STEP 3 　挑戦！同時シャドーイング　CD 1-23　CD 1-24

テキストなしでのシャドーイングに挑戦です！　文の意味を意識しながら、つっかえずに言えるようになるまで何度も練習しましょう。目指せ！　ナチュラルスピード！

STEP 4 　仕上げ　クイズで理解度チェック！

内容に関するクイズに答えて、学習の成果を確認しましょう！

徳島県

Q1　徳島市阿波踊りの人出は毎年何万人と言われていますか。
Q2　阿波踊りの女踊りとは、どんな踊りだと言っていますか。
Q3　阿波踊りは何拍子の踊りですか。

A1
A2
A3

日本語訳

　阿波踊りとは徳島県発祥の盆踊りで、日本三大盆踊りにも数えられています。
　8月中旬のお盆の時期には、徳島県の複数の場所で阿波踊りが開催されます。中でも最大規模は徳島市の徳島市阿波踊りで、毎年130万人以上の人出があるそうです。
　阿波踊りは、勇壮で滑稽な男踊りと、上品であだっぽい女踊りの2つに分けられます。なお、阿波踊りには「連」と呼ばれる踊り手のグループが存在します。阿波踊りは2拍子ですが、連によって踊りのテンポが異なるため、それぞれの連に個性が生まれ、見ていて飽きのこない楽しい踊りになるのです。
　ちなみに徳島市阿波踊りでは、だれでも踊りに参加できる「にわか連」というのがあります。見るよりも踊る方が断然楽しい阿波踊り、「踊る阿呆に見る阿呆、同じ阿呆なら踊らな損損」の精神にのっとって、あなたも参加してみませんか。

A1：130万人（1.3 million）／A2：上品であだっぽい（elegant and charming）／A3：2拍子（two-part time）

お役立ち表現❷ 日本の宗教

寺	temple		鳥居	shrine gate
神社	shrine		お賽銭箱	contribution box
初詣	first visit of the year to a shrine [temple]		みこし	portable shrine
			仏像	Buddhist statue
お参り	visit to a shrine [temple]		お坊さん	priest; monk
葬式	funeral		仏僧	Buddhist priest
仏葬	Buddhist funeral		尼僧	nun
墓地	cemetery		巫女	Shinto maiden
一族を埋葬する墓	family grave		教祖	the founder of a sect
			信者	believer; follower; adherent
無信仰	atheism		仏教徒	Buddhist
仏教	Buddhism		神道信者	Shintoist
神道	Shintoism		多神教徒	polytheist
国教	state religion		お経	sutra
密教	esoteric Buddhism		念仏	Buddhist prayer [invocation]
新興宗教	new religion; (new) cult		説教	sermon
自然宗教	naturalistic religion		座禅	Zen meditation
アニミズム	animism		悟り	(religious) enlightenment
宗派	denomination; sect		宿坊	temple lodging
改宗	conversion		菩薩	Bodhisattva
神棚	family shrine		仏	Buddha
仏壇	Buddhist altar		仏式	Buddhist ritual
仏具	Buddhist altar fittings		釈迦	the Buddha
位牌	Buddhist mortuary tablet		観音	Kannon; the Goddess of Mercy
戒名	posthumous Buddhist name			
			居士	Buddhist layman
線香	incense stick		卍(まんじ)	Buddhist cross
数珠	prayer beads			

中国地方

本場で食べれば味も格別な山口の河豚。路面電車に身をゆだねて気ままに市内観光の広島。せっかくだから岡山でジーンズを新調。良縁を求めて出雲。パラグライダーで鳥取砂丘の空からご挨拶！

山口県 …68

広島県 …72

岡山県 …76

島根県 …80

鳥取県 …84

お役立ち表現❷ …88

山口県 ★ 河豚

県庁所在地 ★ 山口市
面　　積 ★ 6,114 km²
人　　口 ★ 1,433,957 人
　　　　　（推計　2012/7/1 現在）
人口密度 ★ 235 人/km²
公　　式 ★ www.pref.yamaguchi.lg.jp

A dangerous fish that brings happiness?!
「福」を呼び込むのは危険な魚！？

STEP 1 　音読でウォーミングアップ

スクリプトを見て、ひとかたまりごとに意味を確認しながら
3回音読してみましょう。ここではCDは聴きません。

▶ The fish of Yamaguchi prefecture
is fugu.
And Shimonoseki
is the center.
Some types
contain tetrodotoxin poison.
It's a thousand times more toxic
than potassium cyanide.
Therefore,
certification and notification
is required to clean and sell it.
So why
risk your life?

▶ 山口県の県魚は
フグだ
そして下関は
その本場だ
いくつかの種類は
テトロドトキシンという毒を持つ
それは1000倍毒性が強い
青酸カリよりも
したがって
資格と届け出が
それを捌いたり売るために必要だ
ではなぜ
命を危険にさらすのか

The answer is simple —
the taste.
▶ Fugu is chewy,
so as sashimi,
it's cut so thin it's transparent.
Pieces are spread out
like beautiful petals,
and a few pieces
are eaten at a time
with condiments and *ponzu*.
One bite of the delicate
yet rich flavor
will addict you.
▶ Fugu hotpot in winter
is supreme.
It's made
by boiling scraps and bones
with vegetables in stock.
It's flavored
and enjoyed with ponzu.
After eating the ingredients,
add rice for a final delicious porridge.
▶ Fugu can mean *misfortune*,
so in Yamaguchi it's called *fuku*,
which means *happiness*.
Visit Yamaguchi
and bring happiness to your mouth!

答えは簡単だ
その味
▶ フグは歯ごたえがある
そのため刺身の場合は
透けるほど薄く切る
刺身は一枚一枚広げて並べられる
美しい花弁のように
そして、数枚が
一度に食べられる
薬味とポン酢と一緒に
一口でその繊細な
なおかつ深みのある味は
あなたを病みつきにさせる
▶ 冬のフグ鍋は
最高だ
それは作られる
切り身と骨を煮て
野菜と一緒に出汁の中で
それは味付けされ
賞味される、ポン酢で
具を食べ終わった後
締めのお粥のために飯を入れる
▶ フグは「不遇」という意味にもなり得る
そのため山口では「フク」と呼ばれる
「福」を意味する
山口を訪問しなさい
そして口に福を呼び込みなさい

山口県

STEP 2 まずは ゆっくりシャドーイング

テキストを見ながら、赤字で書き込まれた「音の注意点」を意識し、CD音声を聴いて3回以上シャドーイングしましょう。

　The fish of Yamaguchi prefecture is fugu. And Shimonoseki is the center. Some types contain tetrodotoxin poison. It's a thousand times more toxic than potassium cyanide. Therefore, certification and notification is required to clean and sell it. So why risk your life? The answer is simple—the taste.

　Fugu is chewy, so as sashimi, it's cut so thin it's transparent. Pieces are spread out like beautiful petals, and a few pieces are eaten at a time with condiments and *ponzu*. One bite of the delicate yet rich flavor will addict you.

　Fugu hotpot in winter is supreme. It's made by boiling scraps and bones with vegetables in stock. It's flavored and enjoyed with ponzu. After eating the ingredients, add rice for a final delicious porridge.

　Fugu can mean *misfortune*, so in Yamaguchi it's called *fuku*, which means *happiness*. Visit Yamaguchi and bring happiness to your mouth!

STEP 3 挑戦！同時シャドーイング

テキストなしでのシャドーイングに挑戦です！　文の意味を意識しながら、つっかえずに言えるようになるまで何度も練習しましょう。目指せ！　ナチュラルスピード！

STEP 4 仕上げ クイズで理解度チェック！

内容に関するクイズに答えて、学習の成果を確認しましょう！

Q1　テトロドトキシンという毒は青酸カリの何倍強いと言われていますか。
Q2　フグの刺身が非常に薄いのはなぜですか。
Q3　山口県でフグがフクと呼ばれる理由は何ですか。

A1 _____
A2 _____
A3 _____

日本語訳

　山口県の県魚はフグ。なかでも下関は、フグの本場として全国的にその名を知られています。フグの中にはテトロドトキシンという毒を持っている種類があります。その毒性の強さは青酸カリの1000倍とも言われるほどです。そのため、フグをさばいたり販売したりするには、特別な資格や届け出が必要です。では、なぜ人々は命の危険を冒してまで、フグを食べるのでしょう？　答えは簡単。その味です。
　フグの肉はとても弾力が強いため、刺身にする場合は、向こう側が透けて見えるほど薄く切ります。これを花弁のように美しく並べ、2～3枚ずつ、薬味とポン酢で頂きます。淡泊ながら深みのあるその味わいは、一度食べたら病みつきになるほどです。
　冬の味覚としては、フグ鍋も最高ですね。だし汁に、フグの切り身や骨を、野菜と一緒に入れて煮込みます。ポン酢のつけダレにつけて食します。具を食べ終わった後のだし汁から作る、締めの雑炊も最高においしいですよ。
　「不遇」を連想させるため、山口県ではこの魚のことを「フク（福）」と呼びます。みなさんもぜひ当地を訪れ、舌の上に「フク」を呼びこんでみてください！

A1：1000倍（a thousand times）／A2：フグの肉はとても弾力が強い（Fugu is chewy）／A3：「不遇」を連想させる（Fugu can mean misfortune）

広島県 ★ 路面電車

県庁所在地 ★ 広島市中区
面　　　積 ★ 8,480 km²
人　　　口 ★ 2,850,234 人
　　　　　　（推計　2012/7/1 現在）
人口密度 ★ 336 人 /km²
公　　　式 ★ www.pref.hiroshima.lg.jp

The streetcars of Hiroshima — the way to get around
市民の足、広島市の路面電車

STEP 1　音読でウォーミングアップ

スクリプトを見て、ひとかたまりごとに意味を確認しながら
3回音読してみましょう。ここではCDは聴きません。

▶ Streetcars　　　　　　　　　　　　▶ 路面電車は
are essential transportation　　　　　重要な交通手段だ
for Hiroshima.　　　　　　　　　　　広島にとって
The streetcar lines　　　　　　　　　その路面電車の路線は
stretch 35.1 km　　　　　　　　　　 35.1km にも及ぶ
and carry 160,000 passengers a day.　そして1日16万人の乗客を運ぶ
It's the longest　　　　　　　　　　　それは最も長い
and most used streetcar system in Japan. そして日本で最も使われる路面電車だ
▶ Streetcars have been phased out　　▶ 路面電車は廃止されてきた
around Japan　　　　　　　　　　　　日本中で
because they're blamed for　　　　　　なぜならそれらは〜で責められる
traffic jams,　　　　　　　　　　　　渋滞
but they're still popular　　　　　　しかしそれらは今でも人気がある

in Hiroshima.	広島で
But why do the people of Hiroshima	しかしどうして広島の人たちは
love their streetcars	路面電車が好きなのか
so much?	そんなにたくさん
▶ One reason goes back to	▶1つの理由は〜に遡る
when the city was destroyed	その都市が破壊されたとき
by a nuclear bomb	原子爆弾によって
in the war.	その戦争で
Many citizens and soldiers	多くの市民と兵士が
worked hard	懸命に働いた
to have parts of the streetcar	一部の路面電車を〜の状態にする
lined up and running	整備され走っている
only three days after	わずか3日後
the bomb was dropped.	爆弾が投下された
The people,	人々は
still in a state of shock,	まだショック状態にあった
were said to have been encouraged	勇気付けられたという
by the sight of moving trains.	動いている電車の光景により
▶ November 2012	▶2012年11月は
is the 100th anniversary	100周年だ
of Hiroshima Electric Railway,	広島電鉄の
and it's likely that	そして〜のようだ
the streetcars of Hiroshima	広島の路面電車は
will continue to be loved	愛され続ける
by the citizens	市民によって
as a symbol of Hiroshima.	広島の象徴として

広島県

STEP 2 まずは ゆっくりシャドーイング

テキストを見ながら、赤字で書き込まれた「音の注意点」を意識し、CD音声を聴いて3回以上シャドーイングしましょう。

Streetcars are essential transportation for Hiroshima. The streetcar lines stretch 35.1 km and carry 160,000 passengers a day. It's the longest and most used streetcar system in Japan.

Streetcars have been phased out around Japan because they're blamed for traffic jams, but they're still popular in Hiroshima. But why do the people of Hiroshima love their streetcars so much?

One reason goes back to when the city was destroyed by a nuclear bomb in the war. Many citizens and soldiers worked hard to have parts of the streetcar lined up and running only three days after the bomb was dropped. The people, still in a state of shock, were said to have been encouraged by the sight of moving trains.

November 2012 is the 100th anniversary of Hiroshima Electric Railway, and it's likely that the streetcars of Hiroshima will continue to be loved by the citizens as a symbol of Hiroshima.

STEP 3 挑戦！同時シャドーイング　CD 1-27　CD 1-28

テキストなしでのシャドーイングに挑戦です！　文の意味を意識しながら、つっかえずに言えるようになるまで何度も練習しましょう。目指せ！　ナチュラルスピード！

STEP 4 仕上げ クイズで理解度チェック！

内容に関するクイズに答えて、学習の成果を確認しましょう！

Q1　広島以外のところで路面電車が廃止される理由は何ですか。
Q2　原爆投下の3日後に路面電車の運行が再開されました。
　　これはどんな人々の働きによるものでしたか。
Q3　広島電鉄が電車開業100周年を迎えるのはいつですか。

A1　_____
A2　_____
A3　_____

広島県

日本語訳

　広島市民の足として欠かせないのが、路面電車です。その総延長は実に35.1kmに及び、1日あたりの輸送人員は約16万人です。輸送人員と路線の長さは、どちらも路面電車としては日本一を誇っています。
　交通渋滞を引き起こす原因だとして、これまで、日本各地で廃止されていく傾向にあった路面電車が、広島ではいまだに広く人気を集めています。なぜ路面電車は、広島市民にこれほどまでに愛されているのでしょうか。
　その理由の1つが、原爆の被害を受けたときの経験です。多くの市民や軍人の必死の働きにより、原爆投下のわずか3日後に、部分的ながらも路面電車の運行が再開されたのです。まだショック状態にあった広島の人々は、動く電車の姿に大いに励まされたといいます。
　2012年の11月に開業100周年を迎える広島電鉄は、これからも、広島のシンボルとして市民に愛され続けていくことでしょう。

A1：交通渋滞（traffic jam）／A2：たくさんの市民と兵士（many citizens and soldiers）／A3：2012年11月（November 2012）

岡山県 ★ 布地

県庁所在地 ★ 岡山市北区
面　　積 ★ 7,010 km²
人　　口 ★ 1,937,836 人
　　　　　（推計　2012/7/1 現在）
人口密度 ★ 276 人 /km²
公　　式 ★ www.pref.okayama.jp

Traditional skills sought by the world
世界が求める伝統の技

STEP 1　音読でウォーミングアップ

スクリプトを見て、ひとかたまりごとに意味を確認しながら
3回音読してみましょう。ここではCDは聴きません。

▶ One world-class industry	▶ 世界に誇る産業の 1 つ
of Okayama	岡山の
is denim textile production.	デニム生地の生産だ
The prefecture	この県は
also boasts of having	また〜をもつことが自慢だ
the highest production in Japan	日本最大の生産量
of denim jeans,	デニムで作るジーンズの
and Kojima in Kurashiki City	そして倉敷市の児島は
is said to be	〜と言われている
the birthplace	発祥地
of Japanese jeans.	日本のジーンズ
▶ Jeans were first made	▶ ジーンズは最初に作られた
in Japan in the 1960s	日本で 1960 年代に

in Kurashiki City.	倉敷市で
Consumers were starting	消費者たちは始めていた
to drift away from	〜から離れることを
Japanese-style clothes,	和装
and people were looking for	そして人々は探していた
new areas to continue	続けるための新しい分野
to use their traditional skills.	伝統技術を用いることを
For the people of Okayama,	岡山の人たちにとって
who had skills in making	作る技術を持っていた
thick Ogura-ori cloth	厚手の小倉織りを
and indigo dyeing,	そして藍染めを
denim material development and production	デニム素材の開発と生産は
was ideal for them.	彼らにとって理想的だった
▶ Okayama is now	▶ 岡山は今
so famous for its denim	デニムでとても有名だ
that even big grobal brands	世界的なブランドでさえ
make purchases there.	仕入れる
The term "Okayama denim"	岡山デニムの名称は
is now known	今では知られている
even beyond the borders of Japan.	日本国外においてさえも
Traditional techniques	伝統技術は
that have supported Okayama	岡山を支えてきた
from ancient times	古くから
continue to support the prefecture,	その県を支え続けている
with only a few changes.	ほんの少しだけ形を変えて

岡山県

One world-class industry of Okayama is denim textile production. The prefecture also boasts of having the highest production in Japan of denim jeans, and Kojima in Kurashiki City is said to be the birthplace of Japanese jeans.

Jeans were first made in Japan in the 1960s in Kurashiki City. Consumers were starting to drift away from Japanese-style clothes, and people were looking for new areas to continue to use their traditional skills. For the people of Okayama, who had skills in making thick Ogura-ori cloth and indigo dyeing, denim material development and production was ideal for them.

Okayama is now so famous for its denim that even big grobal brands make purchases there. The term "Okayama denim" is now known even beyond the borders of Japan. Traditional techniques that have supported Okayama from ancient times continue to support the prefecture, with only a few changes.

STEP 3 挑戦! 同時シャドーイング

テキストなしでのシャドーイングに挑戦です！ 文の意味を意識しながら、つっかえずに言えるようになるまで何度も練習しましょう。目指せ！ ナチュラルスピード！

STEP 4 仕上げ クイズで理解度チェック！

内容に関するクイズに答えて、学習の成果を確認しましょう！

Q1 日本のジーンズの発祥地とされているのはどこですか。
Q2 デニムの生産に有益にはたらいた、倉敷の2つの伝統技術は何ですか。
Q3 倉敷市で日本初の国産ジーンズが作られたのは何年代ですか。

A1
A2
A3

岡山県

日本語訳

　デニム生地の生産は、岡山県が世界に誇る産業の1つです。デニム生地を利用して作るジーンズも、国内随一の生産量で、倉敷市の児島は、日本のジーンズの発祥地とされています。
　倉敷市で日本初の国産ジーンズが作られたのは1960年代のことです。消費者がだんだんと和装から離れいく中、当時の人々は伝統的な技術を残せる新しい分野を模索していました。元々、小倉織りのような厚手の生地の生産や、藍染めの技術があった岡山県の人々にとって、デニム生地の開発や生産は、まさに理想的な分野だったのです。
　今では、世界的なブランドも、岡山産のデニム生地を手に入れるために訪れるほどです。「岡山デニム」の名は日本国内にとどまらず、世界へと飛び出しています。岡山を古くから支えてきた伝統の技術は、今も少しだけ形を変えて岡山を支え続けているのです。

A1：倉敷市の児島（Kojima in Kurashiki City）／A2：厚手の小倉織の布を作ること（making thick Ogura-ori cloth）・藍染め（indigo dyeing）／A3：1960年代（in the 1960s）

島根県 ★ 神話

県庁所在地 ★ 松江市
面　　積 ★ 6,708 km²
人　　口 ★ 707,733 人
　　　　　（推計　2012/7/1 現在）
人口密度 ★ 106 人/km²
公　　式 ★ www.pref.shimane.lg.jp

Izumo — the shrine built by the gods
神々が建てた社、出雲大社

STEP 1　音読でウォーミングアップ

スクリプトを見て、ひとかたまりごとに意味を確認しながら
3回音読してみましょう。ここではＣＤは聴きません。

▶ A myth says that | ▶ ある神話は言う
in October, | 10月に
gods throughout Japan | 日本全国の神々が
gather for a conference | 会議のために集まる
at Izumo in Shimane prefecture. | 島根県の出雲に
That's why in Shimane | そのため島根では
October is "the month of gods," | 10月は「神在月」だ
while it's "the month of no gods" | 一方、「神無月」だ
elsewhere. | その他の場所では
▶ Another myth | ▶ もう1つの神話は
explains | 説明している
how Izumo Shrine was built. | 出雲大社がどうやって建てられた
In ancient days, | かつて

there were gods of heaven	天の神様がいた
and gods of earth.	そして地の神様
One day,	ある日
Takemikazuchi,	タケミカヅチ
the heaven god of thunder and swords,	天の雷と剣の神が
asks Okuninushi,	頼んだ、オオクニヌシに
the chief god,	主神
to turn over power.	国を譲るように
Okuninushi agrees,	オオクニヌシは了解した
but only if a palace	ただし、宮殿が
as big as Takemikazuchi's	タケミカヅチのと同様に大きい
is built for him.	彼のために建てられる
The palace built	その建てられた宮殿が
was the Izumo Shrine.	出雲大社だった
▶ This shrine	▶ この神社は
is famous as a place	場所として有名だ
to pray for a happy union.	いい縁を祈願するための
It's popular	それは人気がある
with people	人々に
hoping to meet	会いたいと願う
the perfect person for them.	自分にとって最良の相手に
Amulets and other lucky items	お守りや護符などが
are sold	売られている
to help.	良縁を引き寄せる
If you're thinking	もしあなたが考えているなら
it's about time to get married,	そろそろ結婚する時期だと
how about visiting Izumo Shrine?	出雲大社を訪れてはどうか

島根県

STEP 2 まずは ゆっくりシャドーイング

テキストを見ながら、赤字で書き込まれた「音の注意点」を意識し、CD音声を聴いて3回以上シャドーイングしましょう。

A myth says that in October, gods throughout Japan gather for a conference at Izumo in Shimane prefecture. That's why in Shimane October is "the month of gods," while it's "the month of no gods" elsewhere.

Another myth explains how Izumo Shrine was built. In ancient days, there were gods of heaven and gods of earth. One day, Takemikazuchi, the heaven god of thunder and swords, asks Okuninushi, the chief god, to turn over power. Okuninushi agrees, but only if a palace as big as Takemikazuchi's is built for him. The palace built was the Izumo Shrine.

This shrine is famous as a place to pray for a happy union. It's popular with people hoping to meet the perfect person for them. Amulets and other lucky items are sold to help. If you're thinking it's about time to get married, how about visiting Izumo Shrine?

STEP 3 挑戦! 同時シャドーイング CD 1-31 CD 1-32

テキストなしでのシャドーイングに挑戦です！ 文の意味を意識しながら、つっかえずに言えるようになるまで何度も練習しましょう。目指せ！ ナチュラルスピード！

STEP 4 仕上げ クイズで理解度チェック！

内容に関するクイズに答えて、学習の成果を確認しましょう！

Q1　島根では十月を何と呼びますか。
Q2　神話に出てくる「天の国に住む神様達」を何と言いますか。
Q3　出雲大社にお参りするとどんなものがもたらされると考えられていますか。

A1 _____
A2 _____
A3 _____

島根県

日本語訳

　日本では十月になると、国中の神様が大会議のために島根県の出雲に集合するという神話があります。そのため、島根では十月を「神在月」と呼び、他の地域では十月を「神無月」と呼ぶのです。
　また、出雲大社の成り立ちに関しては、こんな神話があります。
かつて、世の中に天津神（天の国に住む神様達）と、国津神（地上の国に住む神様達）がいました。ある日、天津神の建御雷神が国津神の王である大国主神に国を譲ってくれるようにお願いをしにいきます。すると大国主は、自分の住む所として建御雷が住むのと同じくらいの大きさの宮殿を建てるのであれば、国を譲ると言いました。その時に立てられたのが、出雲大社だと伝えられています。
　出雲大社は縁結びの神様としても有名です。いい出会いを求める人たちに人気があります。お守りなども売られていますよ。「恋人とそろそろ結婚したい…」なんて思っているアナタ、一度お参りに行ってみてはどうですか？

A1：神在月（the month of gods） ／ A2：天津神（gods of heaven） ／ A3：良い縁（happy union）

鳥取県 ★ 砂丘

県庁所在地 ★ 鳥取市
面　　積 ★ 3,507 km²
人　　口 ★ 582,422 人
　　　　　（推計　2012/7/1 現在）
人口密度 ★ 166 人 /km²
公　　式 ★ www.pref.tottori.lg.jp

Beautiful art created by wind
風によって描かれる美しい芸術

STEP 1　音読でウォーミングアップ

スクリプトを見て、ひとかたまりごとに意味を確認しながら
3回音読してみましょう。ここではCDは聴きません。

▶ The sand dunes of Tottori　　　▶ 鳥取の砂丘は
spread 2.4 kilos　　　　　　　　　2.4km 広がる
from north to south,　　　　　　　北から南に
and 16 kilos　　　　　　　　　　　そして 16km
from east to west,　　　　　　　　東から西に
and they have been designated　　 そしてそれらは指定されている
as a National Monument.　　　　　 天然記念物として
When most people　　　　　　　　 ほとんどの人は
hear about dunes,　　　　　　　　砂丘と聞くと
they imagine sand.　　　　　　　　彼らは砂だけを想像する
However,　　　　　　　　　　　　 しかし
actual sand dunes　　　　　　　　実際の砂丘は
are dreamlike and beautiful.　　　 幻想的で美しい

▶ Wind ripples
are an element
of the beautiful dunes.
They're pieces of art
created by the wind.
On the day after a storm,
you can see
sand pillars.
These are columns created
when the surface of the sand
is eroded
by strong rain and wind.
▶ The dunes are home
to 16 species of plants,
including *hamabenogiku* and *nekonoshita*.
In the right season,
you can see
cute little blossoms.
The robust plants of the dunes
teach us
about the preciousness of life.
▶ At the Tottori dunes,
there are lots of activities,
including camel riding
and paragliding,
and you might even try sand boarding.

▶ 風紋は
要素だ
美しい砂丘の
それらは芸術作品だ
風によって創られた
嵐の後の日には
あなたは見られる
砂の柱を
これらは作られた柱だ
砂の表面が〜なとき
浸食される
強い雨と風によって
▶ 砂丘は生息地だ
16種の植物の
ハマベノギクやネコノシタなどの
適切な季節には
あなたは見られます
かわいい花を
砂丘の堅牢な植物は
私たちに教えてくれる
命の尊さを
▶ 鳥取の砂丘には
たくさんのアクティビティがある
ラクダに乗ったり
パラグライダーに乗ったり
サンドボーディングに挑戦するのもいい

鳥取県

STEP 2 — まずは ゆっくりシャドーイング

テキストを見ながら、赤字で書き込まれた「音の注意点」を意識し、CD音声を聴いて3回以上シャドーイングしましょう。

The sand dunes of Tottori spread 2.4 kilos from north to south, and 16 kilos from east to west, and they have been designated as a National Monument. When most people hear about dunes, they imagine sand. However, actual sand dunes are dreamlike and beautiful.

Wind ripples are an element of the beautiful dunes. They're pieces of art created by the wind. On the day after a storm, you can see sand pillars. These are columns created when the surface of the sand is eroded by strong rain and wind.

The dunes are home to 16 species of plants, including *hamabenogiku* and *nekonoshita*. In the right season, you can see cute little blossoms. The robust plants of the dunes teach us about the preciousness of life.

At the Tottori dunes, there are lots of activities, including camel riding and paragliding, and you might even try sand boarding.

STEP 3 挑戦! 同時シャドーイング

CD 1-33　CD 1-34

テキストなしでのシャドーイングに挑戦です！　文の意味を意識しながら、つっかえずに言えるようになるまで何度も練習しましょう。目指せ！　ナチュラルスピード！

STEP 4 仕上げ クイズで理解度チェック！

内容に関するクイズに答えて、学習の成果を確認しましょう！

Q1　鳥取砂丘は国の何に指定されていますか。
Q2　嵐の翌日に砂丘で見られるものは何ですか。
Q3　ラクダに乗ること以外に、鳥取砂丘で楽しめるアクティビティは何ですか。

A1
A2
A3

鳥取県

日本語訳

　鳥取砂丘は国の天然記念物にも指定されており、南北2.4km、東西16kmにわたって広がっています。砂丘と聞くと、何もない砂がただ広がる光景を思い浮かべる人が多いかもしれません。しかし、実際の砂丘は幻想的で美しい場所です。
　砂丘の美しさを作る要素として、風紋があります。それらは風によって創られた芸術作品なのです。嵐の翌日には、砂柱を見ることもできます。強い雨風によって、砂の表面が浸食されることでできあがる、柱状の砂の固まりです。
　また砂丘には、ハマベノギクやネコノシタなど、16種類の砂丘植物が生息しています。季節によっては、小さくてかわいらしい花を見ることもできるでしょう。砂丘で生きるたくましい植物達は生命の尊さを教えてくれますよ。
　また鳥取砂丘では、ラクダに乗ったり、パラグライダーで空を飛んだり、砂の上をボードで滑るサンドボードに挑戦したりと、さまざまなアクティビティを楽しむこともできるんです。

A1：天然記念物（National Monument）／ A2：砂柱（sand pillars）／ A3：パラグライダー（paragliding）・サンドボード（sand boarding）

お役立ち表現❸ 日本の伝統文化

茶道	tea ceremony		相撲部屋	stable
華道	flower arranging		親方	stable master
着物	kimono		力士	sumo wrestler
着物地	kimono cloth		行司	sumo referee
抹茶	powdered green tea		土俵	sumo ring
茶道具	tea utensils		土俵入り	ring entering ceremony
茶せん	bamboo tea whisk		場所	tournament
茶杓	tea scoop		横綱	highest rank wrestler
ひしゃく	ladle		大関	second-highest rank wrestler
陶芸	ceramic art			
陶芸品	ceramic works		関脇	third-highest sumo wrestler
漆器	lacquerware		小結	fourth-highest rank wrestler
水墨画	ink painting		前頭	top division wrestler
浮世絵	Japanese woodblock prints		十両	second-division wrestler
書道	calligraphy		まげ	topknot
毛筆	writing brush		まわし	belt; sash
すずり	inkstone		四股を踏む	stamp down the dirt
墨汁	India ink		（相撲の）取組	bout
文鎮	paperweight		引き落とし	pull down
漢字	Chinese character		押し出し	pushing out
かな文字	Japanese syllabary		上手投げ	overarm throw
落語	comic storytelling		下手投げ	underarm throw
民謡	folk songs		外掛け	outside leg trip
日本舞踊	Japanese dancing		寄り切り	forcing out
日本庭園	traditional Japanese landscape garden		決まり手	winning technique
			敢闘賞	fighting spirit prize
日本刀	Japanese sword		技能賞	technique prize
盆栽	potted dwarf tree			

近畿地方

和歌山南高梅に目を細め、大仏のひざ元で奈良時代に思いを寄せる。宝塚で夢心地のあとは大阪でうまいもん！　京都弘法市で掘り出し物を見つけたら、琵琶湖の珍味に舌鼓、三重でポチッと自販機押す！

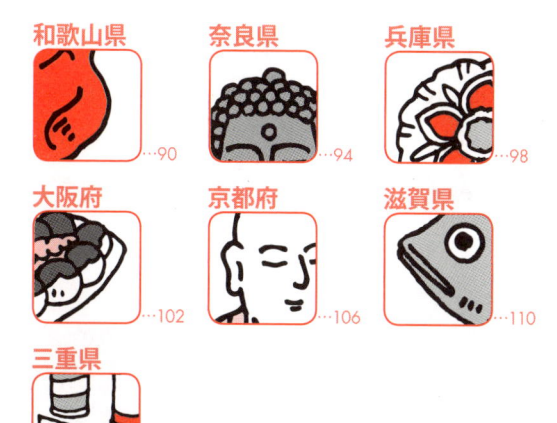

和歌山県 …90
奈良県 …94
兵庫県 …98
大阪府 …102
京都府 …106
滋賀県 …110
三重県 …114

お役立ち表現❸ …118

和歌山県 ★ 梅

県庁所在地 ★ 和歌山市
面　　積 ★ 4,726 km²
人　　口 ★ 988,618 人
　　　　　（推計　2012/7/1 現在）
人口密度 ★ 209 人/km²
公　　式 ★ www.pref.wakayama.lg.jp

Nanko-ume — the very best pickled plumb
最高の梅干しを味わう──南高梅

STEP 1 音読でウォーミングアップ

スクリプトを見て、ひとかたまりごとに意味を確認しながら3回音読してみましょう。ここではＣＤは聴きません。

▶ When people think	▶ 人々が考えるとき
of Wakayama prefecture specialties,	和歌山県の特産品について
they think of plums.	彼らは梅を思いつく
One main use of plums	梅の主な用途の1つは
is in *umeboshi*.	梅干しだ
After	後で
the plums	梅が
are soaked in brine,	塩漬けされた
they're set out to dry	それらは日干しにされる
to make a type of pickle.	ある種の漬物を作るために
They're acidic	それらは酸味が強い
and may give a shock	ショックを与えるかもしれない
to your mouth,	あなたの口に

but this healthy treat	しかしこの健康的な食べ物は
promotes salivation and digestion,	唾液の分泌と消化を促進する
and they're also great for fatigue.	そして疲労にも高い効果がある
They have antibacterial properties,	それらは抗菌効果がある
which is why	そのため
they're often used in lunch boxes.	それらはよく弁当に使われる
▶ The biggest producer	▶ 最大の生産者は
of this important item	この重要な食品の
with ancient roots	古来の根源を持つ
in the Japanese diet	日本人の食生活の
is Wakayama.	和歌山だ
▶ The famous Nanko-ume brand	▶ 有名な南高梅は
represents Wakayama.	和歌山を代表している
This plum is bigger than others,	それは他の梅よりも大きく
the seed	そして種は
is relatively smaller,	比較的小さい
and the flesh is soft,	そして果肉がやわらかい
which all make it unique.	それを特徴づけている
This, and because the plums	このこと、そして梅が〜なため
are handled by hand and not machine,	機械ではなく手作業で製造される
makes it an expensive brand.	これを高級ブランドにしています
But many people	しかし、多くの人たちは
special order them	それらを特注する
because the flavor	なぜならその味が
is worth the price.	価格に見合っている
They of course also make	それらはもちろん
a wonderful gift.	素晴らしい贈り物になる

和歌山県

STEP 2 まずは ゆっくりシャドーイング

テキストを見ながら、赤字で書き込まれた「音の注意点」を意識し、CD音声を聴いて3回以上シャドーイングしましょう。

When people think of Wakayama prefecture specialties, they think of plums. One main use of plums is in *umeboshi*. After the plums are soaked in brine, they're set out to dry to make a type of pickle. They're acidic and may give a shock to your mouth, but this healthy treat promotes salivation and digestion, and they're also great for fatigue. They have antibacterial properties, which is why they're often used in lunch boxes.

The biggest producer of this important item with ancient roots in the Japanese diet is Wakayama.

The famous Nanko-ume brand represents Wakayama. This plum is bigger than others, the seed is relatively smaller, and the flesh is soft, which all make it unique. This, and because the plums are handled by hand and not machine, makes it an expensive brand. But many people special order them because the flavor is worth the price. They of course also make a wonderful gift.

STEP 3 　挑戦！同時シャドーイング　CD 1-35　CD 1-36

テキストなしでのシャドーイングに挑戦です！　文の意味を意識しながら、つっかえずに言えるようになるまで何度も練習しましょう。目指せ！　ナチュラルスピード！

STEP 4 　仕上げ クイズで理解度チェック！

内容に関するクイズに答えて、学習の成果を確認しましょう！

Q1　疲労回復以外で、梅干しは健康面でどのような効能がありますか。
Q2　抗菌効果がある梅干し、どんなところでよく使われますか。
Q3　南高梅の特徴は、「果実が大きい」「種が小さい」のほかは何ですか。

A1 _____
A2 _____
A3 _____

和歌山県

日本語訳

　和歌山県の特産品といえば、梅。梅の実の主な用途の１つは、梅干しです。梅干しは、梅の実を塩漬けした後に日干しにして作る一種の漬物です。非常に酸味が強いので、びっくりするかもしれませんが、唾液の分泌を促して消化を助けたり、疲労回復効果があったりと、健康にいい食べ物なんですよ。また、抗菌効果もあるので、お弁当に使われることも多いです。
　そんな、日本人の食生活に古くから深く関わっている重要な食品の生産量が日本一なのが、和歌山県です。
　中でも南高梅という品種は、和歌山県を代表する品種です。果実が通常の梅に比べて大きく、種は果実の割に小さめで、果肉が柔らかいのが特徴です。加えてその柔らかさゆえ、機械加工に適さず、ひとつひとつ手作業で製造されることもあり、この梅を使った梅干しは、他のものと比べて非常に高価です。しかしそれを補って余りあるおいしさから、わざわざ取り寄せる人もたくさんいます。もちろん、贈り物としても非常に喜ばれる逸品です。

A1：唾液の分泌を促して消化を助ける（promotes salivation and digestion）／A2：お弁当（lunch box）／A3：果肉が柔らかい（the flesh is soft）

奈良県 ★ 大仏

県庁所在地 ★ 奈良市
面　　積 ★ 3,691 km²
人　　口 ★ 1,390,729 人
　　　　　（推計　2012/7/1 現在）
人口密度 ★ 377 人/km²
公　　式 ★ www.pref.nara.jp

The place of the Great Buddha
なごやかにおわします奈良の大仏

STEP 1　音読でウォーミングアップ

スクリプトを見て、ひとかたまりごとに意味を確認しながら3回音読してみましょう。ここではＣＤは聴きません。

▶ Nara prefecture　　　　　　　　　▶ 奈良県は
has given the world　　　　　　　　世界に与えた
many cultural assets.　　　　　　　　多くの文化財を
This includes more　　　　　　　　　これはより多く含む
UNESCO World Cultural Heritage Sites,　ユネスコの世界文化遺産
Architect National Treasures,　　　　国宝建造物
and Special Historic Sites　　　　　　そして特別史跡
than any other prefecture,　　　　　どの県よりも
and much more　　　　　　　　　　そしてより多い
than can be counted.　　　　　　　　数えられる
▶ Todai-ji Temple's Rushana Buddha Statue,　▶ 東大寺の盧舎那仏像は
called the Great Buddha of Nara,　　奈良の大仏と呼ばれている
is a National Treasure.　　　　　　　国宝だ

It's about 15-meters high	それは約15mの高さだ
on a 3-meters foundation,	3mの台座の上に
and it weighs about 250 tons.	そして約250トンの重量がある
The main hall,	大仏殿
also a National Treasure,	また国宝でもある
is famous	有名だ
as one of the world's largest wooden buildings.	世界最大級の木造建築として
The hall	大仏殿は
is 57.5 meters by 50.5 meters.	幅57.5m、奥行き50.5mだ
▶ It's said that	▶ と言われている
2.6-million people were involved	2.6万人が関与した
in its construction.	その建築には
Some estimates say	ある試算によれば
it cost 465.7-billion yen	4,657億円かかった
in today's money	今日のお金で
to build the hall and Buddha statue.	大仏殿と大仏を作る
▶ After	▶ の後
the statue and the hall	大仏と大仏殿は
were dedicated in 752,	752年に完成した
they were destroyed by fire	火災によって破壊された
and rebuilt two times.	そして2回再建された
But for over a thousand years,	しかし1000年以上の間
the Great Buddha of Nara	奈良の大仏は
has continued	続けてきた
to watch over us.	私たちを見守ることを

奈良県

STEP 2 まずは ゆっくりシャドーイング

テキストを見ながら、赤字で書き込まれた「音の注意点」を意識し、CD音声を聴いて3回以上シャドーイングしましょう。

Nara prefecture has given the world many cultural assets. This includes more UNESCO World Cultural Heritage Sites, Architect National Treasures, and Special Historic Sites than any other prefecture, and much more than can be counted.

Todai-ji Temple's Rushana Buddha Statue, called the Great Buddha of Nara, is a National Treasure. It's about 15-meters high on a 3-meters foundation, and it weighs about 250 tons. The main hall, also a National Treasure, is famous as one of the world's largest wooden buildings. The hall is 57.5 meters by 50.5 meters.

It's said that 2.6-million people were involved in its construction. Some estimates say it cost 465.7-billion yen in today's money to build the hall and Buddha statue.

After the statue and the hall were dedicated in 752, they were destroyed by fire and rebuilt two times. But for over a thousand years, the Great Buddha of Nara has continued to watch over us.

STEP 3 挑戦! 同時シャドーイング

CD 1-37　CD 1-38

テキストなしでのシャドーイングに挑戦です！ 文の意味を意識しながら、つっかえずに言えるようになるまで何度も練習しましょう。目指せ！ ナチュラルスピード！

STEP 4 仕上げ クイズで理解度チェック！

内容に関するクイズに答えて、学習の成果を確認しましょう！

Q1　「奈良の大仏」の正式名称は何ですか。
Q2　国宝に指定されている大仏殿は、どんなことで有名だと言っていますか。
Q3　大仏と大仏殿はこれまで何回焼失しましたか。

A1 _____
A2 _____
A3 _____

奈良県

日本語訳

　奈良県には、大変多くの文化財が残されています。世界文化遺産や国宝建造物、特別史跡の保有数は全国1位で、数え挙げればきりがないほどです。
　「奈良の大仏」という愛称で親しまれている東大寺の盧舎那仏像は、国宝に指定されています。大仏像の高さは約15m、台座の高さは約3mで、総重量はおよそ250tにもなります。同じく国宝に指定されている大仏殿は、世界最大級の木造建築物として有名です。現存の大仏殿は正面の幅が57.5m、奥行は50.5mあるんですよ。
　この大仏の建築には、のべ260万人もの人たちが関わったと言われています。また、ある試算によれば、創建当時の大仏と大仏殿の建造費は、現在の価格にすると約4657億円にものぼると言われています。
　大仏と大仏殿が完成した752年以降、それは火災によって2度破壊・再建されました。実に1000年以上の長きにわたって、奈良の大仏さんは私たちを見守り続けているのです。

A1：盧舎那仏像（Rushana Buddha Statue）／A2：世界最大級の木造建築物（one of the world's largest wooden building）／A3：2回（two times）

兵庫県 ★ 芸能

県庁所在地 ★ 神戸市中央区
面　　積 ★ 8,396 km²
人　　口 ★ 5,573,718 人
　　　　　（推計　2012/7/1 現在）
人口密度 ★ 664 人 /km²
公　　式 ★ web.pref.hyogo.jp

Invitation to Takarazuka — a world of dreams
夢の世界へのいざない――宝塚歌劇団

STEP 1　音読でウォーミングアップ

スクリプトを見て、ひとかたまりごとに意味を確認しながら
3回音読してみましょう。ここではCDは聴きません。

▶ Takarazuka City in Hyogo prefecture	▶ 兵庫県宝塚市は
is famous as the home to	本拠地として有名だ
the Takarazuka Revue.	宝塚歌劇団
The main thing about this group	この歌劇団の最大の特徴は
with beautiful voices	美しい声をもつ
and skilled performances	そして高い演技力
is that the actors	演技者が〜ということだ
are all women.	すべて女性である
So the men characters	そのため、男性の登場人物は
are played by women,	女性によって演じられる
which is why	そのため
they can understand women	彼女たちは女性の気持ちを理解する
and play the roles	そして演じられる

of ideal men.
▶ To perform in Takarazuka, you must graduate from Takarazuka Music School. On average, only one of 20 applicants make it in. After graduating and joining the group, everyone is still called *student*. The students are also commonly called *Takarasienne*, a combination of Takurazuka and *Parisienne*. Sounds rather stylish, don't you think?
▶ Takarazuka Revue will soon be 100. If you're avoiding it because it's just too different, you'll really be missing something. From the moment you step into the theater, you feel like you've entered a world of dreams.

理想の男性を
▶ 宝塚で演技するには
卒業しなければならない
宝塚音楽学校を
平均
20人に1人だけが
入学できる
卒業した後
そして入団した
全員がまだ呼ばれる
「生徒」と
生徒たちは
「タカラジェンヌ」ともよく呼ばれる
「宝塚」を組み合わせた
と「パリジェンヌ」を
なかなかおしゃれな響きだ
そうは思わない？
▶ 宝塚歌劇団は
まもなく100周年だ
もしあなたが避けるなら
その独自性のために
あなたは本当に
何かを損している
瞬間から
劇場に入る
まるで〜に入ったような気になる
夢の世界に

兵庫県

STEP 2 まずは ゆっくりシャドーイング

テキストを見ながら、赤字で書き込まれた「音の注意点」を意識し、CD音声を聴いて3回以上シャドーイングしましょう。

Takarazuka City in Hyogo prefecture is famous as the home to the Takarazuka Revue. The main thing about this group with beautiful voices and skilled performances is that the actors are all women. So the men characters are played by women, which is why they can understand women and play the roles of ideal men.

To perform in Takarazuka, you must graduate from Takarazuka Music School. On average, only one of 20 applicants make it in. After graduating and joining the group, everyone is still called *student*. The students are also commonly called *Takarasienne*, a combination of *Takurazuka* and *Parisienne*. Sounds rather stylish, don't you think?

Takarazuka Revue will soon be 100. If you're avoiding it because it's just too different, you'll really be missing something. From the moment you step into the theater, you feel like you've entered a world of dreams.

STEP 3 挑戦！同時シャドーイング

CD 1-39　CD 1-40

テキストなしでのシャドーイングに挑戦です！　文の意味を意識しながら、つっかえずに言えるようになるまで何度も練習しましょう。目指せ！　ナチュラルスピード！

STEP 4 仕上げ クイズで理解度チェック！

内容に関するクイズに答えて、学習の成果を確認しましょう！

Q1　宝塚歌劇団で演じられる男性キャラクターたちは、どんな男性でしょうか。
Q2　宝塚歌劇団に入るには、何という学校を卒業することが必須ですか。
Q3　宝塚歌劇団の生徒たちの愛称「タカラジェンヌ」は何と何の合成語でしょうか。

A1
A2
A3

兵庫県

日本語訳

　兵庫県宝塚市は、宝塚歌劇団という歌劇団の本拠地として有名です。美しい歌声や素晴らしい踊り、演技で名高いこの歌劇団の最大の特徴は、女性だけで構成されているというところにあります。そのため当然、男性の登場人物を演じるのも女性です。女性が演ずる男性だからこそ、女性の気持ちを理解する、理想的な男性を演じることができるのです。

　宝塚の舞台に上るためには、宝塚音楽学校を卒業しなければなりません。試験の倍率は平均20倍とも言われています。音楽学校を卒業して、宝塚歌劇団に入団してからも、在団中はみんな「生徒」と呼ばれています。また、生徒たちは、「宝塚」と「パリジェンヌ」を合成した「タカラジェンヌ」という愛称で親しまれています。ちょっとおしゃれなイメージだと思いませんか？

　宝塚歌劇団は、まもなく創立100年を迎えます。独特の世界だからといって、食わず嫌いは損ですよ。一歩劇場に足を踏み入れた瞬間から、夢の世界へワープできるのですから。

**A1：理想的な男性（ideal men）／ A2：宝塚音楽学校（Takarazuka Music School）／
A3：宝塚（Takarazuka）・パリジェンヌ（Parisienne）**

大阪府 ★ 食

府庁所在地 ★ 大阪市中央区
面　　積 ★ 1,898 km²
人　　口 ★ 8,864,959 人
　　　　　（推計　2012/7/1 現在）
人口密度 ★ 4,668 人 /km²
公　　式 ★ www.pref.osaka.jp

The nation's kitchen and home of Cup Noodle
天下の台所——アノ食べ物もここから！

STEP 1　音読でウォーミングアップ

スクリプトを見て、ひとかたまりごとに意味を確認しながら
3回音読してみましょう。ここではCDは聴きません。

▶ From ancient times,	▶ 古くから
Osaka has been	大阪は〜だ
the "Kitchen of the Country"	「天下の台所」
because ingredients come here	なぜなら食材がここに来る
from around the country.	国中から
That's why	そのため
it's the birthplace	ここは生誕の地だ
of many unusual dishes.	たくさんの変わった食べ物の
One such famous food	そのような食べ物の1つが
is flour dishes.	粉ものだ
Tako-yaki	たこ焼きは
is one good example.	そのよい例の1つだ
▶ Mix flour and stock or water	▶ 小麦粉を出汁か水と混ぜる

into a batter.	生地に
Then put in	それから入れる
a piece of octopus	小さく切ったタコを
and cook	そして焼く
to make 3 to 5-centimeter balls.	3〜5cmの球状に
It's usually eaten	たいてい食べられる
with sauce,	ソースをつけて
and shaved bonito and laver on top.	そして鰹節と青海苔を乗せて
▶ Osaka is the source	▶ 大阪は源だ
of many other unique aspects	多くのユニークな側面の
of food culture.	食文化の
Osaka's Gilco snack company	大阪の製菓会社グリコは
invented the first "bonus" treat	最初の「おまけ」を考案した
in snacks.	お菓子において
Kaiten-zushi,	回転寿司
or conveyor-belt sushi,	つまり「コンベア・ベルト・スシ」は
is also from Osaka.	これまた大阪発祥だ
And so are unique treats	そして、ユニークな菓子もそうだ
called Whistle Gum and Whistle Ramune.	フエガムやフエラムネと呼ばれる
These are examples	これらは例だ
of how Osaka food	大阪の食べ物がいかに
is both tasty and fun.	おいしくて楽しいものかという
▶ The world-famous Cup Noodle	▶ 世界的に有名な「カップヌードル」は
is also from here.	これもまたこの土地から生まれた
Osaka is now known beyond Japan	大阪は今では日本を越えて知られる
as the Kitchen of the World.	「世界の台所」として

大阪府

STEP 2 まずは ゆっくりシャドーイング　CD 1-41

テキストを見ながら、赤字で書き込まれた「音の注意点」を意識し、CD音声を聴いて3回以上シャドーイングしましょう。

　From ancient times, Osaka **has** [弱化] been the "Kitchen of the Country" because ingredients come here from around the country. That's why it's the birthplace of many unusual dishes. One such famous foo**d is** [連結] flour dishes. *Tako-yaki* is one good example.

　Mix flour and stock or water into a batter. Then pu**t in** [連結] a piece of octopus and cook to make 3 to 5-centimeter balls. It's usually eaten with sauce, and shaved bonito and laver on top.

　Osaka is the source o**f** [脱落] many other unique aspects of food culture. Osaka's Glico sna**ck** [破裂なし] company invented the first "bonus" treat in snacks. Kaiten-zushi, or conveyor-belt sushi, is also from Osaka. An**d** [脱落] so are unique treats called Whistle Gum and Whistle Ramune. These are examples of how Osaka food is both tasty an**d** [脱落] fun.

　The world-famous Cup Noodle is also from here. Osaka is now known beyond Japan as the Kitchen of the World.

STEP 3 挑戦！同時シャドーイング
CD 1-41　CD 1-42

テキストなしでのシャドーイングに挑戦です！　文の意味を意識しながら、つっかえずに言えるようになるまで何度も練習しましょう。目指せ！　ナチュラルスピード！

STEP 4 仕上げ クイズで理解度チェック！

内容に関するクイズに答えて、学習の成果を確認しましょう！

Q1　大阪発祥の料理として有名なジャンルは何ですか。
Q2　ソースに加えてたこ焼きのトッピングとして文中に登場しているのは何と何？
Q3　日本で最初におまけ付きのお菓子を販売したのはどの会社ですか。

A1
A2
A3

大阪府

日本語訳

　大阪は古くから全国の食材が集まる場所で「天下の台所」と呼ばれてきました。そのため、他にはないとてもユニークな料理が生まれています。大阪発祥の料理と言えば、「粉もの」と呼ばれるジャンルが挙げられます。その代表がたこ焼きです。
　水か出汁で溶いた小麦粉の中にタコを入れ、直径3〜5cm程度の球形に焼き上げる料理で、多くの場合は鰹節や青海苔を散らし、ソースをかけて食べます。
　大阪はほかにも、とてもたくさんのユニークな食文化を発信し続けています。日本で最初におまけ付きのお菓子を販売したグリコも大阪の製菓会社です。またレーンに乗った寿司が店内を廻る回転寿司も大阪が発祥地です。フエガムやフエラムネのようなユニークな駄菓子も大阪生まれ。美味しさと楽しさを両立するのが、大阪の食の大きな特徴です。
　今や世界的に有名なカップヌードルもこの土地出身です。まさに大阪は海を超えて世界へはばたく「天下の台所」なのです。

A1：粉もの (flour dishes)／A2：鰹節 (shaved bonito)・青海苔 (laver)／A3：グリコ (Glico)

京都府 ★ 寺

府庁所在地 ★ 京都市上京区
面　　積 ★ 4,613 km²
人　　口 ★ 2,628,563 人
　　　　　（推計　2012/7/1 現在）
人口密度 ★ 570 人 /km²
公　　式 ★ www.pref.kyoto.jp

Enjoy a temple visit and walk on the 21st at To-ji
毎月 21 日は東寺でお参りと散策をどうぞ！

STEP 1　音読でウォーミングアップ

スクリプトを見て、ひとかたまりごとに意味を確認しながら
3 回音読してみましょう。ここではＣＤは聴きません。

▶ To-ji Temple,
15 minutes by foot from Kyoto Station,
is the temple
of Kobo Daishi Master Kukai,
a high priest of the Heian period.
At Mieido House
on the 21st of every month,
where Kobo Daishi lived,
a service is held
in gratitude of the priest.
On this day,
over a 1,000 shops
set up business

▶ 東寺は
京都駅から徒歩15分のところにある
寺だ
弘法大師空海ゆかりの
平安時代の高僧
御影堂で
毎月 21 日に
弘法大師が住んでいた
法要が行われる
その僧への感謝を示すための
この日には
1000 以上もの店が
出店する

on the grounds	境内で
for Kobo-ichi Market.	弘法市のために
▶ Not just anyone can open a shop	▶ だれでも店を開けるわけではない
at this market	この市では
with more than 700-years of history,	700年以上の歴史を持つ
so it's not a flea market.	だからフリーマーケットではない
The vendors all have	販売者はすべて持っている
regular shops,	通常店舗を
and they gather here	そして彼らはここに集まる
with their best products,	最高の品を持って
unusual items,	変わった品
and curiosities forgotten	そして忘れさられた珍品
on the back shelves.	在庫として
Stalls are filled	屋台は埋め尽くされる
with various things	様々な品物で
like antiques, old kimonos,	骨董品、古着
accessories, porcelain	小物、陶器
and things that have to be called	そして〜と呼ばざるを得ない
just junk.	単なるガラクタ
▶ Shops start preparing	▶ 各店舗は準備を始める
from 5:00 in the morning,	朝の5時から
and most are open by 8:00.	そしてほとんどは8時には開く
For a wonderful day,	素晴らしい1日のために
how about walking around	歩き回ってみるのはどうかな
and looking for something special	そして何か素晴らしいものを探す
while visiting the temple?	お寺を訪れながら

京都府

STEP 2 まずは ゆっくりシャドーイング

テキストを見ながら、赤字で書き込まれた「音の注意点」を意識し、CD音声を聴いて3回以上シャドーイングしましょう。

　　To-ji Temple, 15 minutes by foot from Kyoto Station, is the temple of Kobo Daishi Master Kukai, a high priest of the Heian period. At Mieido House on the 21st of every month, where Kobo Daishi lived, a service is held in gratitude of the priest. On this day, over a 1,000 shops set up business on the grounds for Kobo-ichi Market.

　　Not just anyone can open a shop at this market with more than 700-years of history, so it's not a flea market. The vendors all have regular shops, and they gather here with their best products, unusual items, and curiosities forgotten on the back shelves. Stalls are filled with various things like antiques, old kimonos, accessories, porcelain and things that have to be called just junk.

　　Shops start preparing from 5:00 in the morning, and most are open by 8:00. For a wonderful day, how about walking around and looking for something special while visiting the temple?

STEP 3 挑戦！ 同時シャドーイング

CD 1-44

テキストなしでのシャドーイングに挑戦です！ 文の意味を意識しながら、つっかえずに言えるようになるまで何度も練習しましょう。目指せ！ ナチュラルスピード！

STEP 4 仕上げ クイズで理解度チェック！

内容に関するクイズに答えて、学習の成果を確認しましょう！

Q1 弘法大師に報恩感謝するための「御影供」が行われるのは毎月何日ですか。
Q2 弘法市ではどのようなものが売られていますか。
Q3 弘法市で、露店の準備が始まるのは何時からですか。

A1
A2
A3

京都府

日本語訳

　京都駅から15分ほど歩いたところにある東寺は、弘法大師空海ゆかりのお寺です。毎月21日には、弘法大師が住まいとしていた御影堂にて、御影供という、弘法大師に報恩感謝する法要が行われます。そしてその日には、境内全域で1000を超える露店がひしめき合う、弘法市という市が開催されるのです。
　700年以上という長い歴史を持つこの弘法市は、いわゆるフリーマーケットとは異なり、一般の人たちはお店を出しません。普段は店舗で商売している業者さんが、自分のお店の選りすぐりの品や、いつもは日の当たらない珍品、奇品を持って集まってきます。骨董品、古着、小物や陶器、またガラクタと言ったほうが良さそうな物まで様々な物が溢れかえります。
　当日は午前5時から準備が始まり、8時にはほとんどの露天が開きます。お参りのついでに市を散策し、探し物、掘り出し物を見つけてみる……すてきな1日の過ごし方だと思いませんか。

A1：21日（21st） ／ A2：骨董品（antiques）・古着（old kimonos）・小物（accessories）・陶器（porcelain） ／ A3：午前5時（5:00 in the morning）

滋賀県 ★ 湖

県庁所在地 ★ 大津市
面　　積 ★ 3,767 km²
人　　口 ★ 1,415,623 人
　　　　　（推計　2012/7/1 現在）
人口密度 ★ 375 人/km²
公　　式 ★ www.pref.shiga.jp

Enjoy Lake Biwa — Japan's biggest lake
日本最大の湖、琵琶湖を楽しもう

STEP 1　音読でウォーミングアップ

スクリプトを見て、ひとかたまりごとに意味を確認しながら
3回音読してみましょう。ここではCDは聴きません。

▶ One-sixth of Shiga prefecture
is covered by Lake Biwa,
and it's number one in Japan
in water surface and volume.
▶ To actively enjoy Lake Biwa,
try a Lake Biwa Cruise.
Various departure times and courses
are available,
so choose the one that best suits
your travel plans.
▶ When crucian carp
from Lake Biwa
is salted,

▶ 滋賀県の面積の6分の1は
琵琶湖が占めている
そしてそれは日本1だ
面積及び貯水量において
▶ 積極的に琵琶湖を楽しむためには
琵琶湖クルーズを試しなさい
様々な出発時刻やコースが
利用可能だ
だから1番合うものを選びなさい
あなたの旅行計画に
▶ 鮒は
琵琶湖の
塩漬けにされる

and fermented with rice,	そして米とともに発酵させられる
it makes Funa-zushi,	鮒寿司が作られる
famous as	として有名な
a delicacy in Shiga	滋賀県の珍味
among those in the know.	知る人ぞ知る
Both male and female	オスとメスの両方が
are consumed,	使われる
but dishes made with	しかし〜で作られた食品は
the female carp with roe	卵を持つメスの鮒で
are relatively more expensive	比較的高価で
and popular.	人気がある
How about	どうでしょう
giving it a try?	挑戦してみては
▶ On August 8 of each year,	▶ 毎年８月８日に
a firework show	花火大会が
is put on	開かれる
off the coast of Otsuminato.	大津港沖で
About 350,000 people	約35万人が
come to see	見に来る
the 10,000 fireworks.	１万発の花火を
The fireworks	花火は
reflecting off	反射して
Lake Biwa	琵琶湖に
create	作り出す
a beautiful and magical scene	美しく神秘的な光景を
to enjoy.	楽しむための

滋賀県

STEP 2 まずは ゆっくりシャドーイング

テキストを見ながら、赤字で書き込まれた「音の注意点」を意識し、CD音声を聴いて3回以上シャドーイングしましょう。

One-sixth of Shiga prefecture is covered by Lake Biwa, and it's number one in Japan in water surface and volume.

To actively enjoy Lake Biwa, try a Lake Biwa Cruise. Various departure times and courses are available, so choose the one that best suits your travel plans.

When crucian carp from Lake Biwa is salted, and fermented with rice, it makes Funa-zushi, famous as a delicacy in Shiga among those in the know. Both male and female are consumed, but dishes made with the female carp with roe are relatively more expensive and popular. How about giving it a try?

On August 8 of each year, a firework show is put on off the coast of Otsuminato. About 350,000 people come to see the 10,000 fireworks. The fireworks reflecting off Lake Biwa create a beautiful and magical scene to enjoy.

STEP 3 挑戦！同時シャドーイング

CD 1-45　CD 1-46

テキストなしでのシャドーイングに挑戦です！　文の意味を意識しながら、つっかえずに言えるようになるまで何度も練習しましょう。目指せ！　ナチュラルスピード！

STEP 4 仕上げ クイズで理解度チェック！

内容に関するクイズに答えて、学習の成果を確認しましょう！

Q1　琵琶湖は滋賀県の面積の何分の1を占めていますか。
Q2　滋賀県の高級珍味・鮒寿司に使うのにいい鮒は、どんな鮒ですか。
Q3　毎年8月8日、琵琶湖の大津港の沖合で行われるイベントは何ですか。

A1
A2
A3

滋賀県

日本語訳

　琵琶湖は滋賀県の面積の6分の1を占めており、その面積と貯水量は全国1位です。アクティブに琵琶湖を楽しむなら、琵琶湖クルーズを試してみては？　時間帯や内容が異なるコースが複数設定されていますから、旅の予定に合わせて最適なものを選べます。
　また、琵琶湖から取れる鮒を塩漬けにし、それを米とともに発酵させた鮒寿司は、知る人ぞ知る滋賀県の郷土料理として有名です。オス、メスともに使われますが、子持ちのメスで作ったもののほうが、比較的高価で人気があります。一度トライしてみてはいかがでしょう？
　なお、毎年8月8日には、琵琶湖の大津港の沖合で花火大会が行われます。35万人もの人が、1万発の花火を見物に訪れます。琵琶湖に花火が映え、とても美しく、幻想的な光景を楽しむことができますよ。

A1：6分の1（one-sixth）／ A2：子持ちのメスの鮒（female carp with roe）／ A3：花火大会（firework show）

三重県 ★ 産業

県庁所在地 ★ 津市
面　　積 ★ 5,762 km²
人　　口 ★ 1,841,482 人
　　　　　（推計　2012/7/1 現在）
人口密度 ★ 319 人/km²
公　　式 ★ www.pref.mie.lg.jp

Number one in Japan in an unusual way
三重県の意外な「日本一」とは……

STEP 1　音読でウォーミングアップ

スクリプトを見て、ひとかたまりごとに意味を確認しながら3回音読してみましょう。ここではCDは聴きません。

▶ Something surprising
to foreign visitors to Japan
is all the vending machines
seen as you walk
down the streets.
Five-million vending machines
are in operation in Japan,
and the variety
is also impressive.
Besides canned and bottled drinks,
you can buy instant noodles,
snacks, magazines and newspapers,
and even fishing bait.

▶ 驚くべきことは
日本に来た外国人にとって
たくさんの自動販売機があることだ
歩いているときに見かける
町中を
500万台の自動販売機が
日本では稼働している
そしてその種類は
また印象的だ
缶や瓶の飲料に加え
インスタントラーメンも買える
お菓子、雑誌そして新聞
そして釣り餌までも

▶ Japan leads the world in vending-machine technology. Only Japanese machines can sell hot and cold drinks in one machine. And the electricity consumption used by one drink machine has been halved in 15 years. The new generation of vending machines have big touch panels and various functions.

▶ One surprising Mie prefecture specialty is vending-machine production. There are 120,000 vending machines made in Mie prefecture a year. According to statistics, about one in four machines in Japan is from Mie. Perhaps the machine you bought that drink from just now came from there.

▶ 日本は世界をリードしている
自動販売機の技術において
日本の機械だけが
ホットとコールドの飲み物を売れる
1台の機械で
そして電力消費量は
1台の飲料自販機に消費される
半分になった
15年間で
新しい世代
自動販売機の
大きなタッチパネルをもつ
そして様々な機能

▶ 三重の驚くべき得意分野は
自販機の製造だ
そこにある
12万台の自販機
三重県製の
1年間
見積もりによれば
日本の自販機の4台に1台が
三重県で作られたものだ
たぶんその機械は
あなたが今飲み物を買った
その地で作られた

三重県

STEP 2 まずは ゆっくりシャドーイング

テキストを見ながら、赤字で書き込まれた「音の注意点」を意識し、CD音声を聴いて3回以上シャドーイングしましょう。

Something surprising to foreign visitors to Japan is all the vending machines seen as you walk down the streets. Five-million vending machines are in operation in Japan, and the variety is also impressive. Besides canned and bottled drinks, you can buy instant noodles, snacks, magazines and newspapers, and even fishing bait.

Japan leads the world in vending-machine technology. Only Japanese machines can sell hot and cold drinks in one machine. And the electricity consumption used by one drink machine has been halved in 15 years. The new generation of vending machines have big touch panels and various functions.

One surprising Mie prefecture specialty is vending-machine production. There are 120,000 vending machines made in Mie prefecture a year. According to statistics, about one in four machines in Japan is from Mie. Perhaps the machine you bought that drink from just now came from there.

STEP 3 挑戦！同時シャドーイング

CD 1-47　CD 1-48

テキストなしでのシャドーイングに挑戦です！　文の意味を意識しながら、つっかえずに言えるようになるまで何度も練習しましょう。目指せ！　ナチュラルスピード！

STEP 4 仕上げ クイズで理解度チェック！

内容に関するクイズに答えて、学習の成果を確認しましょう！

Q1　日本の自販機では飲料やカップ麺以外に何が売られていますか。
Q2　次世代の自販機には様々な機能と何がついていますか。
Q3　日本に存在する自動販売機の、およそ何台に1台は三重県産ですか。

A1
A2
A3

三重県

日本語訳

　日本に来た外国人が驚くことの一つに、道を歩いていて見かける自動販売機の多さがあります。日本では、実に500万台もの自販機が稼働し、その種類もさまざまです。一般的に見かける缶飲料やペットボトルの自販機の他、カップラーメンやお菓子、雑誌や新聞、変わったところでは、釣り餌の自動販売機などもあります。

　日本の自動販売機は、そのテクノロジーでも世界をリードしています。たとえば、温かい飲み物と冷たい飲み物を同じ機械で買えるのは日本の自販機だけです。また、日本の飲料自販機1台当たりの電気消費量は、15年間で約半分にまで減っています。次世代の自販機には、大型タッチパネルと様々な機能がついています。

　三重県の隠れた日本一が、この自動販売機。実は、日本で最も多くの自販機を生産しているのが三重県なのです。三重県では年間12万台の自販機が生産されています。ある統計情報によると、日本に存在する自動販売機のおよそ4台に1台は、三重県で作られたものだそうです。あなたがさっき飲み物を買った販売機も、もしかしたら三重県製かもしれませんね。

A1：お菓子（snacks）・雑誌（magazines）・新聞（newspapers）・釣り餌（fishing bait）／A2：大型タッチパネル（big touch panel）／A3：4台（four machines）

お役立ち表現 ❹ 日本の政治

国会	the Diet
通常国会	ordinary session of the Diet
臨時国会	extraordinary session of the Diet
国会議事堂	the Diet Building
国会議員	member of the Diet
県議会議員	member of a prefectural assembly
市議会議員	member of a municipal assembly
区議会議員	member of a ward assembly
参議院	the House of Councilors
参議院議員	member of the House of Councilors
参議院議長	the President of the House of Councilors
衆議院	the House of Representatives
衆議院議員	member of the House of Representatives
衆議院議長	the Speaker of the House of Representatives
国会議事録	the Diet Record
議案	bill
議員総会	general meeting of the Diet
議会政治	parliamentary government
政界	political world
政治家	politician
政治記者	political journalist
政治献金	political donation
政治工作	political maneuvering
政治資金	political fund
政治資金規制法	the Political Fund Control Law
内閣	cabinet
内閣総理大臣	the Prime Minister
内閣官房長官	the Chief Cabinet Secretary
内閣閣僚	cabinet members
連立内閣	coalition cabinet
内閣改造	cabinet reshuffle
内閣総辞職	resignation of the Cabinet en masse
選挙資金	campaign funds
小選挙区制	the single-seat constituency system
比例代表制	the proportional representation system
政党	political party
与党	ruling party
野党	opposition party
連立与党	ruling coalition
保守政党	conservative party
革新政党	progressive party
政党員	member of a political party
民主党	the Democratic Party of Japan

中部地方

宇宙金魚の子孫に弥富で出会い、富士の溶岩洞窟でフシギの世界にトリップ。歯形のアユ、信州の蕎麦、甲州のワイン、金箔入り日本酒で夢心地。二日酔いなら富山の薬。新潟米のむすびをともに、いざ鯖街道へ！

愛知県 ……120
静岡県 ……124
岐阜県 ……128
長野県 ……132
山梨県 ……136
福井県 ……140
石川県 ……144
富山県 ……148
新潟県 ……152

お役立ち表現 ❺ ……156

愛知県 ★ 金魚

県庁所在地 ★ 名古屋市中区
面　　積 ★ 5,116 km²
人　　口 ★ 7,430,880 人
　　　　　（推計　2012/7/1 現在）
人口密度 ★ 1452 人/km²
公　　式 ★ www.pref.aichi.jp

Goldfish in outer space?
宇宙旅行をした金魚がいるって本当？

STEP 1　音読でウォーミングアップ

スクリプトを見て、ひとかたまりごとに意味を確認しながら
3回音読してみましょう。ここではＣＤは聴きません。

▶ Yatomi City in Aichi prefecture　　　▶ 愛知県の弥富市は
is Japan's leader　　　　　　　　　　　日本のリーダーだ
in goldfish cultivation,　　　　　　　　金魚の養殖における
and fish raised here　　　　　　　　　そしてここで育てられた金魚は
are called　　　　　　　　　　　　　呼ばれる
Yatomi goldfish.　　　　　　　　　　弥富金魚と
▶ Located on the lower reaches　　　　▶ 下流域に位置し
of the Kiso River,　　　　　　　　　　木曽川の
excellent water and perfect clay　　　　素晴しい水と完璧な土
has made this a great place　　　　　　この地を優れた場所にする
to raise goldfish.　　　　　　　　　　金魚養殖のための
It's also　　　　　　　　　　　　　それはまた
a distribution center,　　　　　　　　流通拠点

and the biggest producer	そして最大の生産者
of all 25 species	25種類すべての
of goldfish in Japan.	日本の金魚の
▶ When the astronaut Chiaki Mukai	▶ 宇宙飛行士の向井千秋が
went to space	宇宙に行ったとき
in 1994	1994年に
on the Space Shuttle Columbia,	スペースシャトルコロンビア号で
six Yatomi goldfish	6匹の弥富金魚が
were selected	選ばれた
from 200,000	20万匹の中から
for space-sickness experiments in space.	宇宙酔いの実験のために
The goldfish	その金魚
returned safely to earth,	地球に無事に帰還した
and now their grandchildren	そして現在はその子孫たちは
are called "space goldfish."	宇宙金魚と呼ばれる
▶ One of the standards	▶ 基準の1つは
for selecting the goldfish	金魚を選別するための
was "specimens shall have	個体には〜がなければならない
a Japanese-flag skin pattern."	日本の国旗の模様
So it seems that	だからまるで
the fish carried	その金魚は運んだ
Japan on their backs	日本を背負って
when they went to	行ったとき
outer space.	宇宙に

愛知県

STEP 2 まずは ゆっくりシャドーイング 🎵 CD 2-1

テキストを見ながら、赤字で書き込まれた「音の注意点」を意識し、CD音声を聴いて3回以上シャドーイングしましょう。

Yatomi City in Aichi prefecture is Japan's leader in goldfish cultivation, and fish raised here are called Yatomi goldfish.

Located on the lower reaches of the Kiso River, excellent water and perfect clay has made this a great place to raise goldfish. It's also a distribution center, and the biggest producer of all 25 species of goldfish in Japan.

When the astronaut Chiaki Mukai went to space in 1994 on the Space Shuttle Columbia, six Yatomi goldfish were selected from 200,000 for space-sickness experiments in space. The goldfish returned safely to earth, and now their grandchildren are called "space goldfish."

One of the standards for selecting the goldfish was "specimens shall have a Japanese-flag skin pattern." So it seems that the fish carried Japan on their backs when they went to outer space.

STEP 3 挑戦! 同時シャドーイング CD 2-1 CD 2-2

テキストなしでのシャドーイングに挑戦です！ 文の意味を意識しながら、つっかえずに言えるようになるまで何度も練習しましょう。目指せ！ ナチュラルスピード！

STEP 4 仕上げ クイズで理解度チェック！

内容に関するクイズに答えて、学習の成果を確認しましょう！

Q1 木曽川下流の弥富で金魚の養殖が盛んになった2つの条件は何と何ですか。
Q2 1994年、何のために6匹の金魚はスペースシャトルに乗せられたのですか。
Q3 宇宙に行った金魚たちの子孫は何と呼ばれていますか。

A1
A2
A3

日本語訳

　愛知県の弥富市は日本有数の金魚の産地で、この地を中心に養殖されている金魚は、弥富金魚と呼ばれています。
　木曽川下流に位置することから良質な水が豊富に流れ込み、また土質も最適だったため、この地域で金魚の養殖が盛んに行われるようになりました。また流通拠点としても日本有数であり、日本に存在する25品種全てが揃う一大産地なのです。
　1994年、スペースシャトルコロンビア号で向井千秋宇宙飛行士が行った宇宙酔いの実験のために、20万匹の中から厳選された6匹の弥富金魚が宇宙へ旅立ちました。宇宙を飛んだ金魚たちは無事に帰還し、その子孫は「宇宙金魚」という名前で広まっています。
　金魚の厳選基準のひとつに「模様が日の丸に見える個体であること」というのもあったそうです。まさに日本を背負って宇宙へ飛び出していったわけですね。

愛知県

A1：良質な水（excellent water）・完璧な土（perfect clay）／ A2：宇宙酔いの実験（space-sickness experiments）／ A3：宇宙金魚（space goldfish）

静岡県 ★ 富士

県庁所在地 ★ 静岡市葵区
面　　積 ★ 7,255 km²
人　　口 ★ 3,740,684 人
　　　　　（推計　2012/7/1 現在）
人口密度 ★ 515 人/km²
公　　式 ★ www.pref.shizuoka.jp

Japan's No. 1 mountain — majestic inside as well!
日本一の山は、その内部も壮大だった！

STEP 1　音読でウォーミングアップ

スクリプトを見て、ひとかたまりごとに意味を確認しながら
3 回音読してみましょう。ここではCDは聴きません。

▶ Japanese are proud of
beautiful, gentle and towering Mt Fuji.
It's 3,776 meters tall,
and 300,000 visitors
climb it annually.
The inside is also majestic
with over 100 lava caves
of all sizes,
creating an underground world.
▶ Well-known caves
include Komakado-kaza-ana and Inno-tainai.
A famous cave
on the western foot

▶ 日本人は誇りに思う
美しく優雅にそびえる富士山を
それは 3776m の高さだ
そして 30 万の訪問者が
毎年登る
その内部もまた雄大だ
100 以上の溶岩洞窟
あらゆるサイズの
地下の世界を形成する
▶ よく知られている洞窟は
駒門風穴や印野胎内がある
有名な洞窟は
西麓の

is called Hito-ana,
and it's often depicted
in historical books and fairy tales.
▶ According to
a historical Kamakura period book
called *Azumakagami*,
Minamoto no Yoritomo had Shiro Nitta
explore the cave.
A goddess
living inside the cave
got angry,
and four servants with Nitta
suddenly died.
Nitta
barely made it out alive.
▶ The ancient *Tale of the Fuji Cave* text
mentions Hito-ana as being hell.
There's also a legend
saying it reaches Enoshima,
and so the history and mystery of the cave
continues to interest people
even today.
▶ Anyone can enter Hito-ana,
but the puddles
sometimes make it best
to wear waterproof shoes.

人穴と呼ばれている
そしてそれはしばしば描かれる
歴史書や御伽草子に
〜によれば
鎌倉時代の歴史書
吾妻鏡という
源頼朝が仁田四郎に
洞窟を探検させた
女神が
洞窟内に棲む
怒った
そして仁田の４人の従者が
突然死んだ
仁田氏は
なんとか生きて出た
▶ 古代の『富士人穴草子』は
人穴を地獄だと述べている
また伝説もある
それが江の島に通じているという
そのためその洞窟の歴史と神秘は
人々を惹きつけてやまない
今日でも
▶ だれでも人穴に入れる
しかし水たまりが
そのことを最適にすることがある
防水靴を着用することを

静岡県

STEP 2 まずは ゆっくりシャドーイング

テキストを見ながら、赤字で書き込まれた「音の注意点」を意識し、CD音声を聴いて3回以上シャドーイングしましょう。

Japanese are proud of beautiful, gentle and towering Mt Fuji. It's 3,776 meters tall, and 300,000 visitors climb it annually. The inside is also majestic with over 100 lava caves of all sizes, creating an underground world.

Well-known caves include Komakado-kaza-ana and Inno-tainai. A famous cave on the western foot is called Hito-ana, and it's often depicted in historical books and fairy tales.

According to a historical Kamakura period book called *Azumakagami*, Minamoto no Yoritomo had Shiro Nitta explore the cave. A goddess living inside the cave got angry, and four servants with Nitta suddenly died. Nitta barely made it out alive.

The ancient *Tale of the Fuji Cave* text mentions Hito-ana as being hell. There's also a legend saying it reaches Enoshima, and so the history and mystery of the cave continues to interest people even today.

Anyone can enter Hito-ana, but the puddles sometimes make it best to wear waterproof shoes.

STEP 3 挑戦！同時シャドーイング　CD 2-3　CD 2-4

テキストなしでのシャドーイングに挑戦です！　文の意味を意識しながら、つっかえずに言えるようになるまで何度も練習しましょう。目指せ！　ナチュラルスピード！

STEP 4 仕上げ クイズで理解度チェック！

内容に関するクイズに答えて、学習の成果を確認しましょう！

Q1　富士山の内部には、100以上の何がありますか。
Q2　仁田が人穴から逃げたのは、女神が怒って何が起こったからですか。
Q3　人穴に入る際、あった方がいいものは何でしょう。

A1
A2
A3

日本語訳

　美しく、穏やかに、悠然とそびえ立つ富士山は、日本の誇りです。標高は3,776メートル、毎年30万人もの人たちが富士山に登っています。富士山は、その内部も壮大で、山麓周辺には大小100以上の溶岩洞窟による地底世界が広がっています。
　それらの洞窟の中では、駒門風穴や印野胎内などがよく知られています。富士山西麓にある「人穴」は、歴史書や御伽草子にもしばしば登場する有名な洞窟です。
　鎌倉時代の歴史書『吾妻鏡』によれば、源頼朝の言いつけで、仁田四郎がこの人穴を探索しています。その際に、洞窟の奥に住む女神から怒りを買い、一緒に入洞した4人の従者が突然死に、四郎は命からがら脱出してきたと言われています。
　『富士人穴草子』には、「人穴は地獄である」という記述が見られます。また、「江ノ島まで続いている」という言い伝えもあり、その歴史とミステリーによって、人穴は今なお人を引き付ける魅力を備えています。
　なお、人穴への入洞は自由ですが、足元に水がたまっている場合があるので、耐水性のある靴があるといいでしょう。

静岡県

A1：溶岩洞窟（lava caves）／A2：4人の従者が突然死んだ（four servants with Nitta suddenly died）／A3：耐水性のある靴（waterproof shoes）

岐阜県 ★ 伝統漁法

県庁所在地 ★ 岐阜市
面　　積 ★ 9,768 km²
人　　口 ★ 2,065,861 人
　　　　　（推計　2012/7/1 現在）
人口密度 ★ 211 人/km²
公　　式 ★ www.pref.gifu.lg.jp

Have you ever seen a tooth-marked ayu?
「歯形のアユ」を知っていますか？

STEP 1　音読でウォーミングアップ

スクリプトを見て、ひとかたまりごとに意味を確認しながら
3回音読してみましょう。ここではCDは聴きません。

▶ From May 11 to October 15,	▶5月11日から10月15日まで
ukai cormorant fishing	鵜飼は
takes place on the Nagara River	長良川で行われる
in Gifu prefecture.	岐阜県にある
Cormorant fishing	鵜飼は
is an old Japanese traditional method	日本の伝統的な手法だ
of using waterfowl	水鳥を使った
to catch fish.	魚を捕まえるための
This method is so old	この伝統漁法はとても古く
it's mentioned	それは言及される
in the *Nihon Shoki* and *Kojiki* records.	日本書紀や古事記の記録に
Nagara River *ukai* is the only *ukai*	長良川鵜飼は唯一の鵜飼だ
requested by the royal household,	皇室御用達の

and methods have been passed down
for generations.
▶ Pounding the side of the boat
scares the ayu,
and attracted by their shining scales,
cormorants get excited
and catch them.
A string around the birds' throats
keeps them from swallowing
the bigger fish.
When coughed up,
the fish are retrieved.
You can board a boat with others
or rent your own boat
for a close-up look
at the skills used.
▶ The cormorant-caught fish,
called *tooth-marked ayu*,
make a rare treat.
The *ayu* die instantly
as they are caught,
so they're fresh and tasty.
This delicacy
is not commonly found in the market,
but some inns and hotels
do have them.

またそのやり方は受け継がれてきた
何世代にもわたって
▶船べりをたたくことで
アユを驚かせる
そしてウロコの反射に魅かれて
鵜たちは興奮する
そしてアユを捕まえる
鳥の喉に巻かれた紐は
鳥が飲み込むのを防ぐ
紐よりも大きな魚を
魚が吐き出されると
鵜匠がそれを捕まえる
あなたは乗合船に乗れる
あるいは貸切船を貸りる
間近で見るために
匠の技を
▶鵜によって捕えられた魚は
歯形のアユと呼ばれる
大変珍重される
そのアユはすぐに死ぬ
捕まると
そのため新鮮でおいしい
この珍味は
市場ではなかなか見つからない
しかし一部の旅館やホテルでは
食べられる

岐阜県

STEP 2 まずは ゆっくりシャドーイング

テキストを見ながら、赤字で書き込まれた「音の注意点」を意識し、CD音声を聴いて3回以上シャドーイングしましょう。

From May 11 to October 15, *ukai* cormorant fishing takes place on the Nagara River in Gifu prefecture. Cormorant fishing is an old Japanese traditional method of using waterfowl to catch fish. This method is so old it's mentioned in the *Nihon Shoki* and *Kojiki* records. Nagara River *ukai* is the only *ukai* requested by the royal household, and methods have been passed down for generations.

Pounding the side of the boat scares the ayu, and attracted by their shining scales, cormorants get excited and catch them. A string around the birds' throats keeps them from swallowing the bigger fish. When coughed up, the fish are retrieved. You can board a boat with others or rent your own boat for a close-up look at the skills used.

The cormorant-caught fish, called *tooth-marked ayu*, make a rare treat. The *ayu* die instantly as they are caught, so they're fresh and tasty. This delicacy is not commonly found in the market, but some inns and hotels do have them.

STEP 3 　挑戦！ 同時シャドーイング　CD 2-5　CD 2-6

テキストなしでのシャドーイングに挑戦です！　文の意味を意識しながら、つっかえずに言えるようになるまで何度も練習しましょう。目指せ！　ナチュラルスピード！

STEP 4 　仕上げ クイズで理解度チェック！

内容に関するクイズに答えて、学習の成果を確認しましょう！

Q1　長良川で鵜飼いが行われるのはいつですか。
Q2　鵜はアユの何に反応してアユを捕まえますか。
Q3　鵜がとったアユは何と呼ばれ、珍重されていますか。

A1 _____
A2 _____
A3 _____

日本語訳

　岐阜県の長良川では、毎年5月11日から10月15日の期間に鵜飼が行われています。鵜飼とは、鵜という水鳥を使った漁のことで、日本の伝統漁法の1つです。日本書紀や古事記にも記述が見られるほど古い歴史を持っているんですよ。長良川鵜飼は日本で唯一の皇室御用達の鵜飼で、代々世襲でその職が受け継がれています。

　船べりをたたく音によってアユを驚かせ、ウロコの反射を頼りに、鵜にアユを捕まえさせます。鵜の喉には紐が巻かれているため、ある大きさ以上のアユを飲み込むことができなくなっています。鵜匠はそれを吐き出させることで、アユを獲るのです。なお、乗合船や貸切船に乗って、匠の技を間近で見物することが可能です。

　鵜がとったアユは「歯形のアユ」と呼ばれ、大変珍重されています。そのくちばしによって一瞬でアユが絶命するため、鵜飼で獲ったアユは、新鮮で大変美味しいとされています。貴重なものなので、あまり市場には出回りませんが、一部の旅館やホテルでは食べることができます。

岐阜県

A1：5月11日から10月15日（from May 11 to October 15）／A2：ウロコの反射（shining scales）／A3：歯形のアユ（tooth-marked ayu）

長野県 ★ 蕎麦

県庁所在地 ★ 長野市
面　　　積 ★ 13,105 km²
人　　　口 ★ 2,135,744 人
　　　　　　　（推計　2012/7/1 現在）
人口密度 ★ 163 人/km²
公　　　式 ★ www.pref.nagano.lg.jp

How did soba get its start?
そもそも蕎麦は「おそば」ではなかった!?

STEP 1 音読でウォーミングアップ

スクリプトを見て、ひとかたまりごとに意味を確認しながら3回音読してみましょう。ここではCDは聴きません。

▶ Soba noodles made from buckwheat
are a well-known noodle dish
of Japan.
At one time,
it was common
to knead buckwheat flour into dumplings,
called *soba-mochi*,
as found in *soba-gaki*,
or buckwheat mash,
but now it's mostly used for noodles
called *soba-kiri*.
Shinshu in Nagano prefecture
is said to be the birthplace

▶ 蕎麦の実から作られる蕎麦は
よく知られている麺料理だ
日本の
かつては
一般的だった
蕎麦粉を練って団子状にすること
蕎麦もちと呼ばれる
あるいは蕎麦がき
蕎麦粉のマッシュ
しかし今は主に麺に使用される
蕎麦切りと呼ばれる
長野県信州は
発祥の地と言われる

of soba noodles.
▶ One popular way to eat soba is *tsuke-soba*.
The soba noodles
are boiled and washed
with cold water
to remove the slime,
then served
on a wood or bamboo tray.
You pick up one mouthful
with your chopsticks
and dip in broth before eating it.
Don't worry
about making sounds
when slurping the noodles.
Just enjoy
the fragrance of soba.
▶ Wheat flour
is now usually included
in soba as a filler.
More than 40 percent of Shinshu soba
is buckwheat flour,
making it a popular luxury item.
Even though
soba has now spread through all of Japan,
Shinshu still holds the honor
of being home to the original soba.

麺状の蕎麦の
▶1つの人気ある蕎麦の食べ方
つけそばです
蕎麦の麺は
茹でられ洗われる
冷たい水で
ぬめりを取るため
そして供される
木や竹の皿に乗せて
一口取り上げて
箸で
つゆにつけて食べる
気にするな
音を出すことを
蕎麦をすするときに
ただ楽しめ
蕎麦の香りを
▶小麦粉は
今は大体混ぜられる
つなぎとして蕎麦に
信州蕎麦は40％以上が
蕎麦粉だ
そのため高級品で人気だ
にもかかわらず
蕎麦が今や日本中に広まっている
信州は今でも威厳をもつ
最初の蕎麦の故郷としての

長野県

STEP 2 まずは ゆっくりシャドーイング

テキストを見ながら、赤字で書き込まれた「音の注意点」を意識し、CD音声を聴いて3回以上シャドーイングしましょう。

　Soba noodles made from buckwheat are a well-known noodle dish of Japan. At one time, it was common to knead buckwheat flour into dumplings, called *soba-mochi*, as found in *soba-gaki*, or buckwheat mash, but now it's mostly used for noodles called *soba-kiri*. Shinshu in Nagano prefecture is said to be the birthplace of soba noodles.

　One popular way to eat soba is *tsuke-soba*. The soba noodles are boiled and washed with cold water to remove the slime, then served on a wood or bamboo tray. You pick up one mouthful with your chopsticks and dip in broth before eating it. Don't worry about making sounds when slurping the noodles. Just enjoy the fragrance of soba.

　Wheat flour is now usually included in soba as a filler. More than 40 percent of Shinshu soba is buckwheat flour, making it a popular luxury item. Even though soba has now spread through all of Japan, Shinshu still holds the honor of being home to the original soba.

STEP 3 挑戦！同時シャドーイング CD 2-7 CD 2-8

テキストなしでのシャドーイングに挑戦です！　文の意味を意識しながら、つっかえずに言えるようになるまで何度も練習しましょう。目指せ！　ナチュラルスピード！

STEP 4 仕上げ クイズで理解度チェック！

内容に関するクイズに答えて、学習の成果を確認しましょう！

Q1　そば粉を練って麺状にした蕎麦を何と言いますか。
Q2　「つけ蕎麦」は、どんな容器に盛り付けられますか。
Q3　蕎麦に、つなぎとして入れられるものは何ですか。

A1
A2
A3

日本語訳

　蕎麦の実を原料にして作られる蕎麦は日本を代表する麺類のひとつです。かつては、「そばがき」や蕎麦粉を練って団子状にした「そばもち」などが一般的な食べ方でしたが、現在では麺状にした「そばきり」と呼ばれるものが主流になっています。長野県信州は、麺状の蕎麦の発祥地と言われています。
　蕎麦のポピュラーな食べ方のひとつに「つけそば」があります。蕎麦をゆでて水で洗ってぬめりを取り、木や竹で作った容器に盛ります。これを箸でひと口ぶんずつ取り、つゆにつけて食べます。すするときに音が出ても気にしないで。蕎麦の香りを感じてみてください。
　今やほとんどで、蕎麦にはつなぎとして小麦粉が含まれています。信州蕎麦は、蕎麦粉の含有量が40％以上であり、高級品として人気があります。蕎麦が全国に広まった今でも、信州の蕎麦は「はじまりの蕎麦」としての威厳を持ち続けています。

長野県

A1：そばきり（soba-kiri）／A2：木や竹で作った容器（a wood or bamboo tray）／A3：小麦粉（wheat flour）

山梨県 ★ 果物

県庁所在地 ★ 甲府市
面　　積 ★ 4,201 km²
人　　口 ★ 853,303 人
　　　　　（推計　2012/7/1 現在）
人口密度 ★ 203 人/km²
公　　式 ★ www.pref.yamanashi.jp

Wine for Japanese food goes global
世界へ羽ばたく「和食に合う」ワイン

STEP 1　音読でウォーミングアップ

スクリプトを見て、ひとかたまりごとに意味を確認しながら3回音読してみましょう。ここではＣＤは聴きません。

▶ Yamanashi prefecture,
famous for fruit,
leads Japan
in grape, peach, and plum harvest.
The alluvial fan in Kofu Basin
is well drained,
making it perfect
for fruit trees.
▶ Yamanashi is known
as wine country,
with about 80 wineries
producing 30 percent
of the country's wine.

▶ 山梨県は
果物で有名な
日本をリードしている
ブドウ、モモ、スモモの生産量で
甲府盆地の扇状地は
とても水はけがいい
そのため完ぺきだ
果樹栽培にとって
▶ 山梨県は知られている
ワインの産地として
約80のワイナリーが
30％を生産する
日本のワインの

▶ Koshu wine
made with Japanese cultivated grapes
is famous
as the perfect wine
for Japanese food.
It's acidic and clean tasting,
and because the refined flavor
doesn't overpower
the fragrance and flavor
of Japanese food,
it brings out
the delicate tastes.
Unlike most other wines,
it goes great
with seafood,
especially sashimi.
▶ With ever improving quality,
Koshu wine has spread
beyond Japan
to overseas markets
in recent years.
And the rising health consciousness
and the popularity of Japanese food
will probably help
the wine extend its reach
around the world.

▶ 甲州ワインは
国産のブドウで作られた
有名だ
完ぺきなワインとして
和食に
それは酸味のあるすっきりした味で
そして洗練された味わいが
邪魔をしない
香りと味を
和食の
それはうまく引き立てる
繊細な味わいを
他のほとんどのワインと違い
それはとても合う
海産物と
とくに刺身に
▶ そのクオリティの向上により
甲府ワインは広まった
日本を越えて
海外市場へと
近年
そして健康指向
それに日本食ブームは
助長するかもしれない
ワインがその範囲を広げるのを
世界中で

山梨県

Yamanashi prefecture, famous for fruit, leads Japan in grape, peach, and plum harvest. The alluvial fan in Kofu Basin is well drained, making it perfect for fruit trees.

Yamanashi is known as wine country, with about 80 wineries producing 30 percent of the country's wine.

Koshu wine made with Japanese cultivated grapes is famous as the perfect wine for Japanese food. It's acidic and clean tasting, and because the refined flavor doesn't overpower the fragrance and flavor of Japanese food, it brings out the delicate tastes. Unlike most other wines, it goes great with seafood, especially sashimi.

With ever improving quality, Koshu wine has spread beyond Japan to overseas markets in recent years. And the rising health consciousness and the popularity of Japanese food will probably help the wine extend its reach around the world.

STEP 3 　挑戦！ 同時シャドーイング　CD 2-9　CD 2-10

テキストなしでのシャドーイングに挑戦です！　文の意味を意識しながら、つっかえずに言えるようになるまで何度も練習しましょう。目指せ！　ナチュラルスピード！

STEP 4 　仕上げ クイズで理解度チェック！

内容に関するクイズに答えて、学習の成果を確認しましょう！

Q1　甲府盆地に形成されているどんな地形が、果樹栽培に適していますか。
Q2　生産量全国一の、山梨県産の果物は何ですか。
Q3　山梨県にはワイナリーが何社ありますか。

A1
A2
A3

日本語訳

　山梨県は果物の産地として有名で、とくにブドウ、モモ、スモモの生産量は全国1位です。山梨県の甲府盆地に形成された扇状地は、水はけがよく、果樹栽培に大変適しています。
　山梨県はワインの産地としても有名で、約80社ものワイナリーで国内の3割のワインが生産されています。
　国産ブドウを使用した甲州ワインは、和食に合うワインとして有名です。そのすっきりとした酸味と上品な飲み口は和食の香りや味を邪魔しないため、和食のもつ繊細な味わいを上手に引き立ててくれるのです。他の多くのワインと違い、甲州ワインは海産物——とくに刺身と良く合います。
　そのクオリティの向上によって、国内市場のみならず、近年では海外での評価も上昇中の甲州ワイン。健康志向と日本食ブームを追い風に、もっともっと広く世界へ羽ばたいていくことでしょう。

山梨県

A1：扇状地（alluvial fan）／A2：ブドウ（grape）・モモ（peach）・スモモ（plum）／A3：約80社（about 80）

福井県 ★ 街道

県庁所在地 ★ 福井市
面　　積 ★ 4,190 km²
人　　口 ★ 800,099 人
　　　　　（推計　2012/7/1 現在）
人口密度 ★ 191 人/km²
公　　式 ★ www.pref.fukui.jp

Mackerel Highway — Taking the gifts of Wakasa to Kyoto
若狭湾の恵みを京へ運ぶ「鯖街道」

STEP 1　音読でウォーミングアップ

スクリプトを見て、ひとかたまりごとに意味を確認しながら
3回音読してみましょう。ここではCDは聴きません。

▶ "Mackerel Highway"　　　　　　　▶「鯖街道」は
refers to roads and passes　　　　　街道や峠道を指す
from Wakasa to Kyoto.　　　　　　　若狭から京都への
It originated　　　　　　　　　　　それは誕生した
to haul goods to Kyoto.　　　　　　京都に物資を運ぶために
Mackerel became famous,　　　　　　サバは有名になった
resulting in this name.　　　　　　その結果この名前になった
Incidentally,　　　　　　　　　　　ちなみに
the most famous route　　　　　　　いちばん有名なルートは
was Wakasa passage　　　　　　　　若狭街道だった
from Obama through Kumagawa　　　　小浜から熊川へ
and Kuchiki in the city of Takashima　そして高島市の朽木
in Shiga prefecture　　　　　　　　滋賀県の

to Demachiyanagi in Kyoto.
▶ Mackerel
was packed in salt
to keep it fresh.
Porters sang
as they walked the 70 kilometers
through the night.
The lyrics of a famous song
they sang go,
"Kyoto is far, but only 18-ri away."
The mackerel arrived
with the perfect amount
of salt flavoring,
making it a Kyoto favorite.
▶ Mackerel Highway was used
for more than mackerel—
it took haiku poems,
tea, and Kyoto culture
to Wakasanokuni.
Buson Yosa's haiku says,
"Summer mountain paths,
walking along as always,
Wakasa porters."
This poem makes us imagine
merchants walking happily
along the old Mackerel Highway.

京都の出町柳まで
▶ サバは
塩漬けにされた
鮮度を保つために
運ぶ人たちは歌った
70kmを歩きながら
夜通し
有名な歌の歌詞は
こう言っている
「京都は遠いがたった18里」
サバは到着した
ちょうどいい分量で
塩味の
京都の人たちの大好物になった
▶ 鯖街道は使われた
鯖を運ぶ以外に
それは俳句を連れてきた
お茶などの京都の文化を
若狭の国へ
与謝蕪村は俳句を詠んだ
「夏山や
通いなれたる
若狭人」という
この俳句は私たちに想像させる
軽快な足取りで歩く商人たちを
かつての鯖街道を

福井県

STEP 2 まずは ゆっくりシャドーイング

テキストを見ながら、赤字で書き込まれた「音の注意点」を意識し、CD音声を聴いて3回以上シャドーイングしましょう。

"Mackerel Highway" refers to roads and passes from Wakasa to Kyoto. It originated to haul goods to Kyoto. Mackerel became famous, resulting in this name. Incidentally, the most famous route was Wakasa passage from Obama through Kumagawa and Kuchiki in the city of Takashima in Shiga prefecture to Demachiyanagi in Kyoto.

Mackerel was packed in salt to keep it fresh. Porters sang as they walked the 70 kilometers through the night. The lyrics of a famous song they sang go, "Kyoto is far, but only 18-ri away." The mackerel arrived with the perfect amount of salt flavoring, making it a Kyoto favorite.

Mackerel Highway was used for more than mackerel—it took haiku poems, tea, and Kyoto culture to Wakasanokuni. Buson Yosa's haiku says, "Summer mountain paths, walking along as always, Wakasa porters." This poem makes us imagine merchants walking happily along the old Mackerel Highway.

STEP 3 挑戦！同時シャドーイング

テキストなしでのシャドーイングに挑戦です！　文の意味を意識しながら、つっかえずに言えるようになるまで何度も練習しましょう。目指せ！　ナチュラルスピード！

STEP 4 仕上げ クイズで理解度チェック！

内容に関するクイズに答えて、学習の成果を確認しましょう！

Q1　鯖街道の中で、最もよく使われていたのは何という道ですか。
Q2　鯖街道で運ばれたサバは傷まないようにどんな処理がされていましたか。
Q3　鯖街道で、若狭国に運ばれた京文化は何と何ですか。

A1　_____
A2　_____
A3　_____

日本語訳

　鯖街道とは、若狭から京都へ至る多数の街道や峠道の総称です。もともとは、さまざまな物資を京都へ運ぶ物流ルートでした。運ばれた物資の中でも、サバがとくに注目され有名になったことから、この名が付きました。ちなみにその中でもっともよく使われていた道は、小浜から熊川を経由し、滋賀県高島市の朽木を通り、京都の出町柳に至る若狭街道です。

　運ばれるサバは、傷むことのないように塩漬けにして運ばれました。運搬人たちは70kmの道のりを夜通しかけて歩きながら歌を歌いました。その有名な歌の歌詞はこう言っています「京都は遠い、だけど、たった18里しか離れていない（と考えれば近い）」。こうして運ばれてきたサバは、実にいい塩加減になっており、京に住む人々を非常に喜ばせました。

　この鯖街道はサバだけではなく、俳句やお茶といった京の文化を若狭国に運ぶ役割も果たしていました。与謝蕪村は「夏山や　通ひなれたる　若狭人」という俳句を残しています。当時の鯖街道を元気に歩いていた行商人の姿が目に浮かぶようですね。

福井県

A1：若狭街道（Wakasa passage）／ A2：塩漬け（packed in salt）／ A3：俳句（haiku poems）・お茶（tea）

石川県 ★ 金箔

県庁所在地 ★ 金沢市
面　　積 ★ 4,186 km²
人　　口 ★ 1,163,423 人
　　　　　（推計　2012/7/1 現在）
人口密度 ★ 278 人 /km²
公　　式 ★ www.pref.ishikawa.lg.jp

Only 0.0001 mm thick!
その薄さはなんと、10,000 分の 1 ミリ！

STEP 1　音読でウォーミングアップ

スクリプトを見て、ひとかたまりごとに意味を確認しながら 3 回音読してみましょう。ここではＣＤは聴きません。

▶ Gold foil　　　　　　　　　　　　　▶ 金箔は
is made by hammering　　　　　　　　金槌で叩き伸ばして作られる
flat gold alloy.　　　　　　　　　　　　金の合金を薄く
Through special traditional techniques,　特殊な伝統技術によって
the alloy is flattened　　　　　　　　　合金は薄く延ばされる
to just 1/10,000 millimeters thick.　　　厚さわずか 1/10,000mm まで
▶ The purpose　　　　　　　　　　　▶ その目的は
is to use as little precious gold　　　　　貴重な金を少なく使用すること
as possible　　　　　　　　　　　　　可能な限り
to cover as large an area　　　　　　　広い面積を覆うために
as possible　　　　　　　　　　　　　可能な限り
with the fine gloss and brilliance　　　　上質な輝きと光沢
of gold.　　　　　　　　　　　　　　　金の

It covers chests of drawers,	それはタンスの装飾に使われる
folding screens,	屏風
and other household furniture,	そしてその他の家具
as well as Buddha statues,	同様に仏像
pieces of art	芸術作品
and even food and cosmetics.	さらに食品や化粧品などにも
▶ Most of the gold foil	▶ ほとんどの金箔は
in Japan	日本の
comes from Kanazawa City	金沢市で作られている
in Ishikawa prefecture.	石川県の
Behind this	この背後にあるのは
is a policy of the Edo government.	江戸幕府の政策だ
In the early Edo period,	江戸時代初期に
the government illegalized	幕府は禁止した
making gold foil,	金箔の生産を
except in Edo.	江戸以外の場所での
But the Kaga clan	しかし加賀藩は
worked hard	懸命に努力した
and finally gained permission	そしてついに許可を取った
to make it.	それを作るための
After the *Edo bakufu* government ended,	江戸幕府が解体した後
Edo gold foil also disappeared	江戸の金箔も消えた
and Kanazawa gold leaf	そして金沢箔は
rose in popularity.	人気が上昇した

石川県

STEP 2 まずは ゆっくりシャドーイング

テキストを見ながら、赤字で書き込まれた「音の注意点」を意識し、CD音声を聴いて3回以上シャドーイングしましょう。

Gold foil is made by hammering flat gold alloy. Through special traditional techniques, the alloy is flattened to just 1/10,000 millimeters thick.

The purpose is to use as little precious gold as possible to cover as large an area as possible with the fine gloss and brilliance of gold. It covers chests of drawers, folding screens, and other household furniture, as well as Buddha statues, pieces of art and even food and cosmetics.

Most of the gold foil in Japan comes from Kanazawa City in Ishikawa prefecture. Behind this is a policy of the Edo government. In the early Edo period, the government illegalized making gold foil, except in Edo. But the Kaga clan worked hard and finally gained permission to make it. After the *Edo bakufu* government ended, Edo gold foil also disappeared and Kanazawa gold leaf rose in popularity.

STEP 3 挑戦！ 同時シャドーイング

CD 2-13 CD 2-14

テキストなしでのシャドーイングに挑戦です！　文の意味を意識しながら、つっかえずに言えるようになるまで何度も練習しましょう。目指せ！　ナチュラルスピード！

STEP 4 仕上げ クイズで理解度チェック！

内容に関するクイズに答えて、学習の成果を確認しましょう！

Q1　金箔は、何を叩き伸ばして作られますか。
Q2　金箔は家具類、美術品のほか、何に使われますか。
Q3　金沢の金箔が台頭するようになったのはいつですか。

A1
A2
A3

日本語訳

　金箔とは、金の合金を金槌で叩いて薄く引き伸ばしたものです。特殊な伝統技術によって、合金は、1万分の1ミリもの薄さに引き延ばされます。
　貴重な金を使い、できる限り少量でできる限り広い範囲を、金の持つ上質な輝きと光沢で彩ることを目的としています。タンスや屏風などの家具類、仏像等の美術品、果ては食料品や化粧品などにも使われます。
　ほとんどの日本の金箔は、石川県の金沢市で生産されています。この背景には、江戸時代の幕府の政策があります。江戸時代の初め、幕府は、江戸の箔打ちを除く全ての箔打ちを禁止しました。そんな状況下にあって当時の加賀藩は、そのたゆまぬ努力の末に金箔製造免許の獲得に成功します。その後、江戸幕府の解体と同時に、幕府の庇護下にあった江戸の箔打ちは消え、金沢箔が台頭するようになったのです。

石川県

A1：金合金（gold alloy）／A2：食品（food）・化粧品（cosmetics）／A3：江戸幕府解体の後（after the Edo bakufu government ended）

富山県 ★ 薬

県庁所在地 ★ 富山市
面　　積 ★ 2,046 km²
人　　口 ★ 1,084,146 人
　　　　　（推計　2012/7/1 現在）
人口密度 ★ 530 人/km²
公　　式 ★ www.pref.toyama.jp

Toyama medicine — roots in the Edo period!
発祥は江戸時代！──富山の薬売り

STEP 1 音読でウォーミングアップ

スクリプトを見て、ひとかたまりごとに意味を確認しながら3回音読してみましょう。ここではCDは聴きません。

▶ Toyama prefecture　　　　　　　　▶ 富山県は
is known　　　　　　　　　　　　　知られている
for making and selling medicine.　　薬の製造販売で
This method　　　　　　　　　　　　この方法は
is not like buying　　　　　　　　　買うのではない
from a drugstore　　　　　　　　　　ドラッグストアから
or even mail order.　　　　　　　　　また通信販売でも
The famous Toyama method　　　　　有名な富山のやり方は
is a medicine box　　　　　　　　　薬箱だ
placed in individual homes,　　　　　個人宅に置かれる
but you only pay for　　　　　　　　しかし払うだけでいい
what you use.　　　　　　　　　　　あなたが使ったもの
The origins　　　　　　　　　　　　起源は

of this system	このシステムの
go back	さかのぼる
to the Edo period.	江戸時代へ
▶ In 1690	▶1690年に
at the Edo Castle,	江戸城では
a lord was suffering	ある大名が苦しんでいた
from stomach pain.	腹痛で
Masatoshi Maeda,	前田正甫が
lord of Toyama,	富山藩主の
gave him medicine from Toyama,	富山の薬を彼に与えた
and the pain	すると痛みは
quickly went away.	すぐになくなった
This led to the recognition	この話が認識につながった
of the Toyama Medicine brand	富山の薬のブランドの
throughout Japan.	日本全国における
▶ In recent years,	▶近年
this method	この方法は
of selling medicine	薬を売るための
has declined	減少した
because of more convenience stores	コンビニが増えたために
and drugstores,	そして薬局
but the elderly	しかし高齢者
who don't live near a drugstore	薬局のそばに住んでいない
and those	そして人たちは
who have trouble going out	外に出るのが難しい
still rely on this system	このシステムに頼っている
as an important lifeline.	重要なライフラインとして

富山県

STEP 2 まずは ゆっくりシャドーイング　CD 2-15

テキストを見ながら、赤字で書き込まれた「音の注意点」を意識し、CD音声を聴いて3回以上シャドーイングしましょう。

　Toyama prefecture is known for making and selling medicine. This method is not like buying from a drugstore or even mail order. The famous Toyama method is a medicine box placed in individual homes, but you only pay for what you use. The origins of this system go back to the Edo period.

　In 1690 at the Edo Castle, a lord was suffering from stomach pain. Masatoshi Maeda, lord of Toyama, gave him medicine from Toyama, and the pain quickly went away. This led to the recognition of the Toyama Medicine brand throughout Japan.

　In recent years, this method of selling medicine has declined because of more convenience stores and drugstores, but the elderly who don't live near a drugstore and those who have trouble going out still rely on this system as an important lifeline.

STEP 3 挑戦！同時シャドーイング CD 2-15 CD 2-16

テキストなしでのシャドーイングに挑戦です！　文の意味を意識しながら、つっかえずに言えるようになるまで何度も練習しましょう。目指せ！　ナチュラルスピード！

STEP 4 仕上げ クイズで理解度チェック！

内容に関するクイズに答えて、学習の成果を確認しましょう！

Q1　富山で盛んな産業は何ですか。
Q2　1690 年、ある大名が腹痛に襲われた際に
　　富山の腹痛薬を飲んだ場所はどこですか。
Q3　何が増えたため、この販売システムがすたれていったのでしょうか。

A1 _____
A2 _____
A3 _____

日本語訳

　富山県は医薬品の製造・販売が盛んです。この方法はドラッグストアで買うのとも、通信販売を使うのとも違います。有名な富山の薬の販売法は、個人宅に薬箱を設置し、利用者はその中から使ったぶんだけを支払うというやり方です。置き薬が盛んになったきっかけは、古く江戸時代へさかのぼります。

　1690 年、江戸城にて、ある大名が腹痛に襲われます。当時の富山藩主の前田正甫が、富山で作った腹痛薬を飲ませたところ、たちどころにその腹痛が治りました。このできごとが契機となり、富山の薬のブランドは全国に知られるようになったのです。

　最近ではコンビニや薬局が多くできたことでこの置き薬システムを使う人の数は減ってしまいましたが、現在でも、薬局が近くにないお年寄りや、外に出ることが難しい人々にとっての生命線となっているのです。

富山県

A1：薬の製造・販売（making and selling medicine）／A2：江戸城（Edo Castle）／A3：コンビニ（convenience stores）・薬局（drugstores）

新潟県 ★ 米

県庁所在地 ★ 新潟市中央区
面　　積 ★ 10,364 km²
人　　口 ★ 2,349,767 人
　　　　　（推計　2012/7/1 現在）
人口密度 ★ 227 人 /km²
公　　式 ★ www.pref.niigata.lg.jp

Koshihikari — the champion of rice
お米の横綱、コシヒカリ

STEP 1 音読でウォーミングアップ

スクリプトを見て、ひとかたまりごとに意味を確認しながら
3回音読してみましょう。ここではＣＤは聴きません。

▶ Niigata prefecture
is a major producer of rice.
And Niigata's Koshihikari
is widely popular
due to the wonderful sweetness and aroma
from the first bite.
It was named
with hopes and expectation
that the rice plants of Etsu-no-kuni
would shine.
▶ Rice called Uonuma Koshihikari
from Uonuma in southern Niigata,
is especially popular

▶ 新潟県は
米の一大産地だ
そして新潟のコシヒカリは
とても人気がある
その素晴らしい甘みと香りから
一口食べた瞬間から
それは名づけられた
期待と願いから
越の国の稲穂が
光り輝くようにという
▶ 魚沼産コシヒカリと呼ばれる米は
新潟県南部の魚沼で収穫される
とくに人気がある

as the highest-quality rice available.	入手可能な米の中で最高の品質として
Each year,	毎年
the Japan Grain Inspection Association	日本穀物検定協会は
ranks the rice from all over Japan	日本全国の米をランク付けする
into five grades,	5つのグレードに
and for 23 years since 1989,	そして1989年以来23年間
Uonuma Koshihikari	魚沼産コシヒカリは
has been designated Special Grade A,	特Aレベルに指定されている
the highest-grade of rice in Japan.	日本における最高品質である
▶ Niigata	▶新潟県は
is also the country's top producer	また国内最大の生産量がある
of rice-based snacks	米菓子の
such as *arare* and *okaki*,	あられやおかきのような
made from glutinous rice,	もち米から作られる
and *senbei* crackers,	そしてせんべい
made from non-glutinous rice.	うるち米から作られる
The fragrant aroma	香ばしい香り
and crispy, dry texture	そしてサクサクパリパリとした食感は
are easy to like.	すぐに好きになる
Rice-based snacks	米菓子は
come with	付属している
many different kinds of seasonings,	さまざまな調味料で
so definitely try them	だからぜひ試してみてください
with Japanese tea.	日本茶と一緒に

新潟県

STEP 2 まずは ゆっくりシャドーイング

テキストを見ながら、赤字で書き込まれた「音の注意点」を意識し、CD音声を聴いて3回以上シャドーイングしましょう。

　Niigata prefecture is a major producer of rice. And Niigata's Koshihikari is widely popular due to the wonderful sweetness and aroma from the first bite. It was named with hopes and expectation that the rice plants of Etsu-no-kuni would shine.

　Rice called Uonuma Koshihikari from Uonuma in southern Niigata, is especially popular as the highest-quality rice available. Each year, the Japan Grain Inspection Association ranks the rice from all over Japan into five grades, and for 23 years since 1989, Uonuma Koshihikari has been designated Special Grade A, the highest-grade of rice in Japan.

　Niigata is also the country's top producer of rice-based snacks such as *arare* and *okaki*, made from glutinous rice, and *senbei* crackers, made from non-glutinous rice. The fragrant aroma and crispy, dry texture are easy to like. Rice-based snacks come with many different kinds of seasonings, so definitely try them with Japanese tea.

STEP 3 挑戦! 同時シャドーイング　CD 2-17　CD 2-18

テキストなしでのシャドーイングに挑戦です！　文の意味を意識しながら、つっかえずに言えるようになるまで何度も練習しましょう。目指せ！　ナチュラルスピード！

STEP 4 仕上げ クイズで理解度チェック！

内容に関するクイズに答えて、学習の成果を確認しましょう！

Q1　新潟県産の「コシヒカリ」は何という期待と願いから名付けられましたか。
Q2　魚沼コシヒカリは「米の食味ランキング」でどのレベルでしょうか。
Q3　「あられ」と「おかき」はもち米から作られますが、
　　「せんべい」は何の米で作られますか。

A1 _____
A2 _____
A3 _____

日本語訳

　新潟県は、米の一大産地です。新潟県産のコシヒカリは、口に入れた瞬間に広がる甘みと香りから非常に人気があります。その名前は、「越の国に光り輝く稲」という期待と願いからつけられました。
　とくに、新潟県南部の地域の魚沼地方で収穫される魚沼産コシヒカリは、最高級のお米として大変人気があります。日本穀物検定協会では毎年、全国規模の産地品種の味を5つのランクに分ける、米の食味ランキングを取りまとめていますが、魚沼コシヒカリは、1989年から23年連続で特Aレベルの認定を受けています。
　もち米で作られる「あられ」「おかき」と、うるち米で作られる「せんべい」などのように、米を使ったお菓子がありますが、新潟県はこういった米菓の生産高も日本一です。香ばしい香りやサクサク、パリパリとした食感は、一度食べたらきっと気に入ってもらえると思いますよ。味付けも様々なものが作られていますので、日本茶と一緒に、ぜひ試してみてください。

新潟県

A1：越の国に光り輝く稲（rice plants of Etsu-no-kuni would shine）／A2：特Aレベル（Special Grade A）／A3：うるち米（non-glutinous rice）

お役立ち表現 ⑤ 日本の観光

観光地	tourist site	旅行者	traveler
入場料	admission fee	団体旅行	group tour
撮影禁止	No Photographs	観光ツアー	sightseeing tour
有名どころ	famous place	個人旅行	individual tour
名所	place of interest	ウォーキングツアー	walking tour
国立公園	national park		
世界遺産	World Heritage Site	旅費	travel expense
穴場	local favorite	観光案内所	tourist information office
遊園地	amusement park	旅行者用の地図	tourist map
旅館	Japanese inn		
温泉地	hot spring resort	旅行者用ガイド	tourist guide
記念碑	monument	観光案内パンフレット	sightseeing brochure
遺跡	ancient ruins		
史跡	historic site	旅行代理店	travel agency
史碑	historical marker	チケット売り場	ticket box
歴史的建造物	historic building	チケットエージェンシー	ticket agency
城	castle		
仏塔	pagoda	発券カウンター	ticketing counter
五重塔	five-story pagoda	バス乗り場	bus terminal
ランドマーク	landmark	乗り換え	transfer
高層ビル	skyscraper	座席	seat
地下街	underground arcade	遺失物取扱所	[米]lost and found; [英]lost property office
商店街	shopping arcade		
海水浴	sea bathing	観光船	sightseeing boat
日光浴	sun bathing	遊覧船	pleasure boat
花見	cherry-blossom viewing	観光バス	sightseeing [tourist] bus
紅葉狩り	autumn leaf viewing	観光タクシー	tourist taxi
イチゴ狩り	strawberry picking	ロープウェイ	cable car

関東地方

横浜中華街の喧騒に紛れ、東京の大自然に触れる。収穫期の千葉で茹でたてを味わい、埼玉で人形にひとめぼれ。こんにゃく料理で腸を清め、東照宮で心を洗う。お土産はあの納豆で決まりだ！

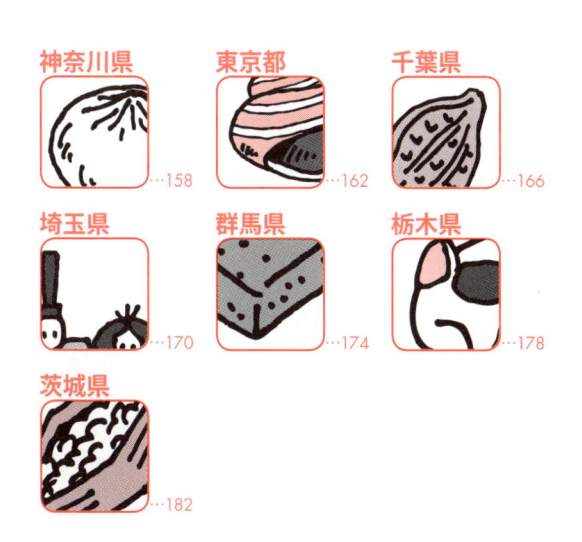

神奈川県 …158
東京都 …162
千葉県 …166
埼玉県 …170
群馬県 …174
栃木県 …178
茨城県 …182

お役立ち表現❻ …186

神奈川県 ★ 街

県庁所在地 ★ 横浜市中区
面　　積 ★ 2,416 km²
人　　口 ★ 9,071,272 人
　　　　　（推計　2012/7/1 現在）
人口密度 ★ 3755 人 /km²
公　　式 ★ www.pref.kanagawa.jp

Yokohama Chinatown — the biggest in Japan
日本最大のチャイナタウン——横浜中華街

STEP 1　音読でウォーミングアップ

スクリプトを見て、ひとかたまりごとに意味を確認しながら
3 回音読してみましょう。ここではＣＤは聴きません。

▶ Yokohama Chinatown	▶ 横浜中華街は
is a Chinese street	中国人街だ
in Yokohama in Kanagawa prefecture.	神奈川県横浜市にある
It's one of the three big Chinatowns	それは 3 大中華街の 1 つだ
in Japan,	日本の
along with Kobe Chinatown	神戸の中華街に並び
and Nagasaki Chinatown.	そして長崎の中華街
▶ Yokohama Chinatown	▶ 横浜中華街には
has over 500 shops	500 以上の店がある
in a space	範囲内に
of about 0.2 square kilometers,	約 0.2 ㎢の
making it the largest Chinatown	それにより最大の中華街になっている
in Japan	日本

and elsewhere in East Asia.	および東アジアにおける
In addition	加えて
to Sichuan and Cantonese cuisine,	四川や広東料理
you can buy	あなたは購入できる
unusual ingredients,	珍しい食材を
cooking utensils,	調理器具
and various kinds of Chinese tea.	そして様々な種類の中国茶
You might also want to try	試したくなるでしょう
enjoying some Tianjin chestnuts	天津甘栗を楽しんで
or Chinese buns	あるいは中華まんじゅう
bought from stalls	屋台から買った
while just walking around	ただ歩きながら
and enjoying all the sites.	そして見物しながら
▶ There are also	▶ 〜もある
lots of events	多くのイベント
that take place every month.	毎月行われる
The Shukumai Yuko,	祝舞遊行は
held in January each year,	毎年1月に行われる
is a spectacular festival	見もののお祭りだ
where you can enjoy	楽しめる
watching a dazzling parade	盛大なパレードを見ながら
while listening to lively music.	勇壮な音楽を聞きながら
You have to see it	見なくてはいけない
at least once!	少なくとも一度は

神奈川県

STEP 2 まずは ゆっくりシャドーイング

テキストを見ながら、赤字で書き込まれた「音の注意点」を意識し、CD音声を聴いて3回以上シャドーイングしましょう。

　Yokohama Chinatown is a Chinese street in Yokohama in Kanagawa prefecture. It's one of the three big Chinatowns in Japan, along with Kobe Chinatown and Nagasaki Chinatown.

　Yokohama Chinatown has over 500 shops in a space of about 0.2 square kilometers, making it the largest Chinatown in Japan and elsewhere in East Asia. In addition to Sichuan and Cantonese cuisine, you can buy unusual ingredients, cooking utensils, and various kinds of Chinese tea. You might also want to try enjoying some Tianjin chestnuts or Chinese buns bought from stalls while just walking around and enjoying all the sites.

　There are also lots of events that take place every month. The Shukumai Yuko, held in January each year, is a spectacular festival where you can enjoy watching a dazzling parade while listening to lively music. You have to see it at least once!

STEP 3 挑戦！ 同時シャドーイング　CD 2-19　CD 2-20

テキストなしでのシャドーイングに挑戦です！　文の意味を意識しながら、つっかえずに言えるようになるまで何度も練習しましょう。目指せ！　ナチュラルスピード！

STEP 4 仕上げ クイズで理解度チェック！

内容に関するクイズに答えて、学習の成果を確認しましょう！

Q1　日本の3大中華街とは、横浜、長崎、それからどこにある中華街ですか。
Q2　横浜中華街で買えるものとして、
　　珍しい食材以外にどんなものがあげられていますか。
Q3　祝舞遊行では、音楽とともに何を楽しめますか。

A1 _____
A2 _____
A3 _____

日本語訳

　神奈川県横浜市には、横浜中華街と呼ばれる中国人街があります。神戸市南京町、長崎新地中華街と並び、日本の3大中華街の一角を成しています。
　横浜中華街は、約0.2km²のエリア内に500店以上の店舗がひしめきあっており、日本最大かつ東アジア最大の中華街となっています。中華街では、四川料理や広東料理などの本格的な中華料理を味わえるだけでなく、珍しい食材や調理器具、いろいろな種類の中国茶などを買ったりすることもできます。屋台で売っている中華まんじゅうや天津甘栗などを食べながら、いろいろと見物して回るのも、おススメです。
　また、横浜中華街では、毎月多くの催し物が行なわれています。とくに1月に行われる祝舞遊行は勇壮な音楽にあわせた盛大なパレードを楽しめる最大のお祭りです。ぜひ一度参加してみてくださいね！

神奈川県

A1：神戸（Kobe）／ A2：調理器具（cooking utensils）・いろいろな種類の中国茶（various kinds of Chinese tea）／ A3：盛大なパレード（dazzling parade）

東京都 ★ 自然

都庁所在地 ★ 新宿区
面　　積 ★ 2,103km²
人　　口 ★ 13,227,730 人
　　　　　（推計 2012/7/1 現在）
人口密度 ★ 6290 人/km²
公　　式 ★ www.metro.tokyo.jp

Ogasawara Islands — the Galapagos of the Orient
東洋のガラパゴス、小笠原諸島

STEP 1　音読でウォーミングアップ

スクリプトを見て、ひとかたまりごとに意味を確認しながら
3回音読してみましょう。ここではCDは聴きません。

▶ When people hear the word Tokyo,　　▶ 東京と聞くと
they imagine a metropolis,　　　　　　　人々は大都会をイメージする
but actually Ogasawara Islands,　　　　 しかし実際は小笠原諸島
a UNESCO World Natural Heritage site,　ユネスコ世界自然遺産
are also part of Tokyo.　　　　　　　　 もまた東京の一部なのだ
▶ Ogasawara Islands　　　　　　　　　　▶ 小笠原諸島とは
are a chain of 30 small islands　　　　 30 余りの島々だ
in the Pacific Ocean　　　　　　　　　　太平洋に浮かぶ
a thousand kilometers south of Tokyo.　東京から南に 1,000km 離れた
All are uninhabited　　　　　　　　　　 すべての島は無人
except for　　　　　　　　　　　　　　 除いて
Chichi-jima,　　　　　　　　　　　　　 父島
Haha-jima, Minamitori-shima　　　　　　 母島、南鳥島

and Io-to.

▶ The abundance of primeval nature gives it the nickname "the Galapagos of the Orient." Many species on the islands have evolved independently, and many are endangered. A lot of unique species of land snails have been identified, and new species continue to be discovered. The only indigenous mammal inhabiting the Ogasawara Islands is the Bonin Flying Fox, and there are still many other mysteries about the islands' wildlife.

▶ The Ogasawara Country Code ordinance, was written to protect the nature of the islands. If you get a chance to visit, make sure you read it and help protect the valuable nature of this paradise.

そして硫黄島

▶ 原生の自然の豊かさは それにニックネームを与えている 「東洋のガラパゴス」という 島には多くの種が 独自の進化を遂げている そして多くは絶滅に瀕している 多くの固有種が 陸産貝類の 確認されている そして新種が 発見され続けている 固有の唯一の哺乳類は 小笠原諸島に生息する オガサワラオオコウモリだ そして今なおある その他の多くの謎が 小笠原諸島の自然には

▶ 小笠原カントリーコードは 保護するために定められた この島々の自然を もし行く機会があれば 必ずそれを読んで 守る手助けをする 貴重な自然を この楽園の

東京都

STEP 2 まずは ゆっくりシャドーイング　CD 2-21

テキストを見ながら、赤字で書き込まれた「音の注意点」を意識し、CD音声を聴いて3回以上シャドーイングしましょう。

　When people hear the word Tokyo, they imagine a metropolis, but actually Ogasawara Islands, a UNESCO World Natural Heritage site, are also part of Tokyo.

　Ogasawara Islands are a chain of 30 small islands in the Pacific Ocean a thousand kilometers south of Tokyo. All are uninhabited except for Chichi-jima, Haha-jima, Minamitori-shima and Io-to.

　The abundance of primeval nature gives it the nickname "the Galapagos of the Orient." Many species on the islands have evolved independently, and many are endangered. A lot of unique species of land snails have been identified, and new species continue to be discovered. The only indigenous mammal inhabiting the Ogasawara Islands is the Bonin Flying Fox, and there are still many other mysteries about the islands' wildlife.

　The Ogasawara Country Code ordinance, was written to protect the nature of the islands. If you get a chance to visit, make sure you read it and help protect the valuable nature of this paradise.

STEP 3 挑戦！同時シャドーイング　CD 2-21　CD 2-22

テキストなしでのシャドーイングに挑戦です！　文の意味を意識しながら、つっかえずに言えるようになるまで何度も練習しましょう。目指せ！　ナチュラルスピード！

STEP 4 仕上げ クイズで理解度チェック！

内容に関するクイズに答えて、学習の成果を確認しましょう！

Q1　小笠原諸島で、有人島なのは父島、母島のほかに何島と何島ですか。
Q2　小笠原諸島に生息する哺乳類は何ですか。
Q3　小笠原諸島はその豊かな原生の自然から、何と呼ばれていますか。

A1
A2
A3

日本語訳

　東京というと、大都会のイメージしかないかもしれませんが、2011年にユネスコの世界自然遺産に登録されて話題になった小笠原諸島も、東京都の一部なのです。
　小笠原諸島は東京から南に1,000km離れた太平洋に浮かぶ30余りの島々です。父島、母島、南鳥島、硫黄島以外は全て無人島です。
　小笠原諸島には、「東洋のガラパゴス」と言われるほど豊かな原生の自然が残されています。そのため、独自の進化を遂げた固有種や、絶滅の恐れのある種が数多く分布しています。なかでも陸産貝類はたくさんの固有種が確認されており、現在も新種の発見が続いていることで知られています。また小笠原諸島固有の哺乳類は、オガサワラオオコウモリ一種類だけであることなど、まだまだ多くの生物的な謎が隠されています。
　島々の自然を守るために、小笠原カントリーコードが定められています。もしも現地を訪れるチャンスを得た場合は、しっかりこれを確認して、この楽園の自然を守る手助けをしてくださいね。

東京都

A1：南鳥島（Minamitori-shima）・硫黄島（Io-to）／A2：オガサワラオオコウモリ（Bonin Flying Fox）／A3：東洋のガラパゴス（the Galapagos of the Orient）

千葉県 ★ 落花生

県庁所在地 ★ 千葉市中央区
面　　積 ★ 5,082 km²
人　　口 ★ 6,197,944 人
　　　　　　（推計　2012/7/1 現在）
人口密度 ★ 1,220 人/km²
公　　式 ★ www.pref.chiba.lg.jp

How about trying big, sweet boiled peanuts?
大きくて甘いゆで落花生はいかが？

STEP 1　音読でウォーミングアップ

スクリプトを見て、ひとかたまりごとに意味を確認しながら
3回音読してみましょう。ここではCDは聴きません。

▶ Peanuts　　　　　　　　　　　　▶ 落花生は
are a local specialty in Chiba.　　　千葉県の特産品だ
About 75 percent of Japan's peanuts　日本の落花生のおよそ75％が
come from Chiba,　　　　　　　　千葉県で作られている
so of course　　　　　　　　　　　だからもちろん
it's Japan's leading producer.　　　 国内第1位だ
▶ Peanuts　　　　　　　　　　　　▶ 落花生は
are usually roasted　　　　　　　　通常炒られる
with or without the shell,　　　　　殻のままか殻をむいた状態で
but shelled peanuts boiled with salt　しかし殻ごと塩ゆでしたものは
have an aroma and texture　　　　　香りや食感がある
unlike roasted peanuts,　　　　　　炒った落花生とは異なる
making them habit-forming.　　　　クセになるような

They soon go bad,
so the freshly boiled taste
is only enjoyed
right after harvesting.
▶ Chiba Agriculture and Forestry Research Center,
Japan's only peanut development facility,
created the Omasari variety
and registered it in 2008.
Omasari
has a shell twice as big as
other peanuts,
so the peanut is
surprisingly big.
A second surprise comes
when you bite into
the soft and sweet nut.
If you like boiled peanuts,
definitely try it.
▶ They're not available
all year around,
but frozen boiled peanuts in the shell
can be found on the Internet
or at roadside stations
in some seasons.

それらは日持ちがしない
そのためゆでたての味は
楽しむことができない
収穫直後しか
▶ 千葉県農林総合研究センターは
日本で唯一の落花生の育種機関
おおまさりという品種を作った
そして2008年に登録した
おおまさりは
莢の大きさが2倍ある
他の落花生の
そのためその落花生は
驚くほど大きい
第2の驚きは訪れる
噛んだときに
その柔らかくて甘みのある豆を
あなたがゆで落花生が好きなら
ぜひ試してみてください
▶ それらは入手できない
一年中は
しかし冷凍のゆで落花生は
インターネットで買える
あるいは道の駅で
季節によっては

千葉県

STEP 2 まずは ゆっくりシャドーイング

テキストを見ながら、赤字で書き込まれた「音の注意点」を意識し、CD音声を聴いて3回以上シャドーイングしましょう。

　Peanuts are a local specialty in Chiba. About 75 percent of Japan's peanuts come from Chiba, so of course it's Japan's leading producer.

　Peanuts are usually roasted with or without the shell, but shelled peanuts boiled with salt have an aroma and texture unlike roasted peanuts, making them habit-forming. They soon go bad, so the freshly boiled taste is only enjoyed right after harvesting.

　Chiba Agriculture and Forestry Research Center, Japan's only peanut development facility, created the Omasari variety and registered it in 2008. Omasari has a shell twice as big as other peanuts, so the peanut is surprisingly big. A second surprise comes when you bite into the soft and sweet nut. If you like boiled peanuts, definitely try it.

　They're not available all year around, but frozen boiled peanuts in the shell can be found on the Internet or at roadside stations in some seasons.

STEP 3 挑戦！同時シャドーイング
CD 2-23 CD 2-24

テキストなしでのシャドーイングに挑戦です！　文の意味を意識しながら、つっかえずに言えるようになるまで何度も練習しましょう。目指せ！　ナチュラルスピード！

STEP 4 仕上げ クイズで理解度チェック！

内容に関するクイズに答えて、学習の成果を確認しましょう！

Q1　日本産落花生の約何％が千葉県で生産されていますか。
Q2　平成20年に登録された、落花生の品種は何ですか。
Q3　その品種のゆで落花生を冷凍したものはどこで買えますか。

A1
A2
A3

日本語訳

　千葉県の特産品と言えば、なんといっても落花生です。日本産落花生の約75％が千葉県で生産されており、もちろん生産量は国内第1位。
　落花生は殻のままもしくは殻を剥いたものを炒るのが一般的ですが、生の落花生を殻ごと塩ゆでした「ゆで落花生」は、炒った落花生にはない香りや食感が、クセになる一品です。あまり日持ちがしないので、ゆでたての味は、新豆が収穫できる短い期間しか味わうことができません。
　国内で唯一、落花生の品種育成を行う千葉県農林総合研究センターによって、「おおまさり」という新しい品種が誕生し、平成20年に登録されました。おおまさりは、莢が一般品種のおよそ2倍もある落花生で、そのド迫力の大きさにまずビックリします。そして実際に味わってみると、その柔らかくて甘みのある豆の味に2度目のビックリ。ゆで豆好きなら、ぜひ体験してみてほしい一品です。
　さすがに1年中というわけにはいきませんが、季節によっては、ゆでた落花生を殻付きのまま冷凍保存したものを、インターネットや道の駅などで購入できます。

千葉県

A1：約75パーセント（about 75 percent）／A2：おおまさり（Omasari）／A3：インターネット（Internet）・道の駅（roadside stations）

埼玉県 ★ 人形

県庁所在地 ★ さいたま市浦和区
面　　積 ★ 3,768 km²
人　　口 ★ 7,211,435 人
　　　　　（推計　2012/7/1 現在）
人 口 密 度 ★ 1,899 人 /km²
公　　式 ★ www.pref.saitama.lg.jp

The quality and beauty of a masterpiece
その完成度と美しさはもはや美術品！

STEP 1　音読でウォーミングアップ

スクリプトを見て、ひとかたまりごとに意味を確認しながら
3 回音読してみましょう。ここではＣＤは聴きません。

▶ On the day of the Doll Festival in March,
and on Children's Day in May,
Japanese pray
for their children
to grow up
healthy and strong.
During these two times,
Hina dolls and Boys' Festival dolls
are put out for display.
These dolls
are referred to collectively
as "festival dolls,"
and Iwatsuki City

▶3 月のひな祭りの日
そして 5 月のこどもの日には
日本人は祈る
子供たちのために
成長するように
健康でたくましく
これら 2 つの時期には
ひな人形と五月人形が
飾られる
これらの人形は
総称的に呼ばれている
「節句人形」と
そして岩槻市

in Saitama prefecture	埼玉県の
is known	知られている
throughout Japan	全国的に
as the doll town.	人形の町として
▶ Iwatsuki dolls	▶ 岩槻人形は
are made	作られる
using ancient methods.	昔ながらの方法で
Once it's decided	いったん決められると
what doll will be made,	どのような人形を作るのかが
the head, torso, hands, feet,	頭、胴体、手、足、
and prop parts	そして小道具が
are made individually	個別に作られる
and then assembled.	そしてそれから組み立てられる
The dolls,	人形は
made through	経て作られる
hundreds of processes,	何百もの工程を
can be considered	見なすことができる
pieces of art.	芸術作品と
A picture	1枚の絵は
is worth a thousand words,	1000の言葉に相当する
but when you first see	しかしはじめて見るときに
one of these dolls,	これらの人形の1つを
you'll be more than convinced	あなたは十二分に確信するでしょう
of its splendor.	その素晴らしさを
▶ If you see one,	▶ もし1つを見たら
you'll definitely want	あなたはきっとしたくなる
to take it home with you.	家に持ち帰ることを

埼玉県

STEP 2 まずは ゆっくりシャドーイング

テキストを見ながら、赤字で書き込まれた「音の注意点」を意識し、CD音声を聴いて3回以上シャドーイングしましょう。

 On the day of the Doll Festival in March, and on Children's Day in May, Japanese pray for their children to grow up healthy and strong. During these two times, Hina dolls and Boys' Festival dolls are put out for display. These dolls are referred to collectively as "festival dolls," and Iwatsuki City in Saitama prefecture is known throughout Japan as the doll town.

 Iwatsuki dolls are made using ancient methods. Once it's decided what doll will be made, the head, torso, hands, feet, and prop parts are made individually and then assembled. The dolls, made through hundreds of processes, can be considered pieces of art. A picture is worth a thousand words, but when you first see one of these dolls, you'll be more than convinced of its splendor.

 If you see one, you'll definitely want to take it home with you.

STEP 3 挑戦！同時シャドーイング

テキストなしでのシャドーイングに挑戦です！　文の意味を意識しながら、つっかえずに言えるようになるまで何度も練習しましょう。目指せ！　ナチュラルスピード！

STEP 4 仕上げ クイズで理解度チェック！

内容に関するクイズに答えて、学習の成果を確認しましょう！

Q1　ひな人形と五月人形は、総じて何と呼ばれますか。
Q2　その人形は子供たちどんな成長ぶりを願って飾られますか。
Q3　岩槻の人形は、頭、胴（衣装）、手、足、それから何を分業して作られますか。

A1　
A2　
A3　

日本語訳

　子供が健康で強く成長することを願って行われる日本の行事に、3月のひな祭りと5月のこどもの日があります。その時期になると、ひな人形や五月人形が飾られます。それらは総じて節句人形と呼ばれ、埼玉県岩槻市は人形の町として全国的に有名です。
　岩槻の人形は、昔ながらの手仕事で作られています。どんな人形を作るか決めたら、頭、胴（衣装）、手、足、小道具を分業して作り、最後に組み立てて完成します。何百にも及ぶ工程を経て作られるその人形は、ほとんど美術品の域に達しています。百聞は一見にしかずで、初めて目にする人にも、その素晴らしさは十二分に伝わるほどなのです。
　一目見たなら、あなたはきっと手に入れて持ち帰りたくなってしまいますよ。

埼玉県

A1：節句人形（festival dolls）／A2：健康（healthy）・強い（strong）／A3：小道具（prop parts）

群馬県 ★ 蒟蒻

県庁所在地 ★ 前橋市
面　　積 ★ 6,362 km²
人　　口 ★ 1,994,671 人
　　　　　（推計　2012/7/1 現在）
人口密度 ★ 314 人 /km²
公　　式 ★ www.pref.gunma.jp

Mysterious food — Try the unique texture!
外国人にはナゾだらけ？　独特の食感をおためしあれ！

STEP 1　音読でウォーミングアップ

スクリプトを見て、ひとかたまりごとに意味を確認しながら3回音読してみましょう。ここではCDは聴きません。

▶ There are | ▶ そこにある
many Japanese foods | たくさんの日本の食品
that strike Westerners | 西洋人たちにショックを与えるような
as very peculiar. | とても変わっているとして
One of these foods | そのような食品の1つが
is *konnyaku*. | コンニャクだ
Almost 90 percent | ほぼ 90 パーセントが
of Japan's elephant yam— | 日本のコンニャクイモの
the ingredient | 材料
konnyaku is made from— | コンニャクが作られる
is grown | 栽培されている
in Gunma prefecture. | 群馬県で

▶ *Konnyaku*'s elasticity and unique texture sets it apart from other foods. It's an essential ingredient on the Japanese table in such items as oden, sukiyaki, nimono and ton-jiru.

▶ *Konnyaku* can also be served as sashimi. The thinly sliced *konnyaku* sashimi is eaten with sauce. Its various forms and texture can be enjoyed in such ways as a yuzu and green laver flake mixture and fish-looking sashimi.

▶ *Konnyaku* is low in calories and rich in dietary fiber. It's used to make *konnyaku* jelly, *konnyaku* noodles, and other diet foods that are very popular.

▶ コンニャクの その弾力性と独特な食感は ほかの食品にはない魅力をもつ それは欠かせない素材だ 日本の食卓に 〜のような料理で おでん、すき焼き、 煮物、そして豚汁

▶ コンニャクは〜でも出される 刺身として 薄くスライスしたコンニャクの刺身 たれで食べられる その様々な形と質感は 楽しめる 〜のような形で ゆずや青海苔を混ぜ込んだもの そして魚の刺身に見立てたもの

▶ こんにゃくは 低カロリーだ 食物繊維が豊富だ それは使われる コンニャクゼリーを作るのに そしてコンニャク麺 そしてその他のダイエット食品 大変人気がある

群馬県

STEP 2 まずは ゆっくりシャドーイング

テキストを見ながら、赤字で書き込まれた「音の注意点」を意識し、CD音声を聴いて3回以上シャドーイングしましょう。

There are many Japanese foods that strike Westerners as very peculiar. One of these foods is *konnyaku*. Almost 90 percent of Japan's elephant yam—the ingredient *konnyaku* is made from—is grown in Gunma prefecture.

Konnyaku's elasticity and unique texture sets it apart from other foods. It's an essential ingredient on the Japanese table in such items as oden, sukiyaki, nimono and ton-jiru.

Konnyaku can also be served as sashimi. The thinly sliced *konnyaku* sashimi is eaten with sauce. Its various forms and texture can be enjoyed in such ways as a yuzu and green laver flake mixture and fish-looking sashimi.

Konnyaku is low in calories and rich in dietary fiber. It's used to make *konnyaku* jelly, *konnyaku* noodles, and other diet foods that are very popular.

STEP 3 挑戦！同時シャドーイング CD 2-27 CD 2-28

テキストなしでのシャドーイングに挑戦です！　文の意味を意識しながら、つっかえずに言えるようになるまで何度も練習しましょう。目指せ！　ナチュラルスピード！

STEP 4 仕上げ クイズで理解度チェック！

内容に関するクイズに答えて、学習の成果を確認しましょう！

Q1　群馬県は、コンニャクイモの国内年間収穫量の何パーセントを占めていますか。
Q2　こんにゃくの食感がどうであると表現されていますか。
Q3　こんにゃくを使ったダイエット食品には、どんなものがありますか。

A1 ＿＿＿＿＿＿＿＿＿＿＿＿＿＿＿＿＿＿＿＿＿＿＿＿＿＿＿＿＿＿＿＿
A2 ＿＿＿＿＿＿＿＿＿＿＿＿＿＿＿＿＿＿＿＿＿＿＿＿＿＿＿＿＿＿＿＿
A3 ＿＿＿＿＿＿＿＿＿＿＿＿＿＿＿＿＿＿＿＿＿＿＿＿＿＿＿＿＿＿＿＿

日本語訳

　日本の食品の中には、欧米の人たちの目には、非常に奇妙に映るものも少なくありません。その1つがこんにゃくです。その原材料となる植物、コンニャクイモの生産量日本一を誇り、国内の年間収穫量の90パーセントを占めているのが群馬県です。
　こんにゃくの弾力ある独特の食感は、ほかの食品にはない魅力です。おでんやすき焼き、煮物、豚汁などの料理の具材として、日本の食卓には欠かせない存在です。
　また、こんにゃくの刺身という料理もあります。薄く切った刺身用こんにゃくに、たれをつけて食べるというものです。ゆずや青海苔を混ぜ込んだものや、魚の刺身に見立てたものなど、さまざまな見た目と食感が楽しめます。
　またこんにゃくはカロリーが非常に低く、食物繊維が豊富です。こんにゃくゼリーやこんにゃく麺など、ダイエット食品が次々に開発され、非常に人気があります。

群馬県

A1：ほぼ90%（almost 90 percent）／ A2：弾力があって独特（elasticity and unique texture）／ A3：ゼリー（jelly）・麺（noodle）

栃木県 ★ 神社

県庁所在地 ★ 宇都宮市
面　　積 ★ 6,408 km²
人　　口 ★ 1,994,024 人
　　　　　（推計　2012/7/1 現在）
人口密度 ★ 311 人 /km²
公　　式 ★ www.pref.tochigi.lg.jp

Tosho-gu — using nature to create a sacred place
自然の地形を生かした神聖な空間に浸る――日光東照宮

STEP 1　音読でウォーミングアップ

スクリプトを見て、ひとかたまりごとに意味を確認しながら
３回音読してみましょう。ここではＣＤは聴きません。

▶ Nikko's Tosho-gu enshrines
Edo-*bakufu* founder Ieyasu Tokugawa,
and each year
tourists and students
visit this picturesque location
in Tochigi prefecture.
The approach and stairs
harmonize with the natural terrain
and balances with the many temple buildings,
creating a sacred atmosphere
that strangely puts your mind at ease.
▶ The buildings,
with colorful lacquered pillars

▶ 日光の東照宮は祀っている
江戸幕府の創始者徳川家康を
そして毎年
観光客や学生が
この景勝地を訪れる
栃木県にある
参道や階段は
自然の地形と調和している
そして多くの寺院と調和している
神秘的な雰囲気を作る
心を不思議と落ち着かせるような
▶ その建物は
色鮮やかな漆塗りの柱のある

covered with numerous carvings,	多数の彫刻で覆われて
are wonderful and beautiful.	素晴らしくそして美しい
The result	その結果は
is the expression,	〜という表現だ
"Don't say wonderful	「素晴らしいと言うな
until you've seen Nikko."	日光を見るまでは」
You'll find animals	あなたは動物を見つけるだろう
carved into the buildings	建物に彫られた
on the grounds.	境内の
Included are the	その中には含まれる
"See no evil,	「見ざる、
hear no evil,	聞かざる、
speak no evil" monkeys	言わざる」の「三猿」
and the Sleeping Cat.	そして「眠り猫」が
It's said	〜と言われている
these animals symbolize peace.	これらの動物は平和を象徴する
▶ The ceiling of Yakushi-do	▶ 薬師堂の天井には
has a dragon image.	竜の絵が描かれている
Clapping your hands	手を叩く
under its head	その頭の下で
creates a roaring sound,	唸るような音を生む
and so the dragon is called	だからその竜は呼ばれる
the "roaring dragon."	「鳴竜」と
An employee of the temple	お寺の方が
uses clappers,	拍子木を打ってくれるので
so be still and have a listen.	じっと耳を傾けよう

栃木県

STEP 2 まずは ゆっくりシャドーイング

テキストを見ながら、赤字で書き込まれた「音の注意点」を意識し、CD音声を聴いて3回以上シャドーイングしましょう。

Nikko's Tosho-gu enshrines Edo-*bakufu* founder Ieyasu Tokugawa, and each year tourists and students visit this picturesque location in Tochigi prefecture. The approach and stairs harmonize with the natural terrain and balances with the many temple buildings, creating a sacred atmosphere that strangely puts your mind at ease.

The buildings, with colorful lacquered pillars covered with numerous carvings, are wonderful and beautiful. The result is the expression, "Don't say wonderful until you've seen Nikko." You'll find animals carved into the buildings on the grounds. Included are the "See no evil, hear no evil, speak no evil" monkeys and the Sleeping Cat. It's said these animals symbolize peace.

The ceiling of Yakushi-do has a dragon image. Clapping your hands under its head creates a roaring sound, and so the dragon is called the "roaring dragon." An employee of the temple uses clappers, so be still and have a listen.

STEP 3 挑戦！同時シャドーイング CD 2-29 CD 2-30

テキストなしでのシャドーイングに挑戦です！　文の意味を意識しながら、つっかえずに言えるようになるまで何度も練習しましょう。目指せ！　ナチュラルスピード！

STEP 4 仕上げ クイズで理解度チェック！

内容に関するクイズに答えて、学習の成果を確認しましょう！

Q1　日光東照宮は誰を祀った神社ですか。
Q2　日光東照宮の、「三猿」「眠り猫」など木彫像は
　　何を表していると言われていますか。
Q3　薬師堂の天井に描かれている絵は何という名前ですか。

A1
A2
A3

日本語訳

　日光東照宮は、江戸幕府を開いた初代将軍・徳川家康を祀った神社で、毎年多くの観光客や修学旅行生が訪れる、栃木を代表する景勝地です。自然の地形を生かした参道や階段、バランスよく配置された社殿群の調和は絶妙で、そこに生み出される神聖な空間は、不思議な居心地の良さを感じさせてくれます。

　また、色鮮やかな漆塗りの柱におびただしい数の彫刻がほどこされている建造物は、素晴らしい美しさです。その様子を称えた「日光を見ずして結構と言うなかれ」という言葉があるほどです。境内の多くの建築物に、様々な動物たちの木彫像を見られます。「見ざる、聞かざる、言わざる」で有名な三猿や、眠り猫などがおり、この動物たちはそれぞれが平和を表していると言われています。

　また、薬師堂の天井には、竜の絵が描かれています。この竜の頭の下で手を叩くと、鳴き声のような音が聞こえることから「鳴竜」と呼ばれています。お寺の人が拍子木を打ってくれますから、耳を澄ませて聴いてみましょう。

栃木県

A1：徳川家康（Ieyasu Tokugawa）／A2：平和（peace）／A3：鳴竜（roaring dragon）

茨城県 ★ 納豆

県庁所在地 ★ 水戸市
面　　積 ★ 6,096 km²
人　　口 ★ 2,945,920 人
　　　　　（推計　2012/7/1 現在）
人口密度 ★ 483 人/km²
公　　式 ★ www.pref.ibaraki.jp

Unique — but habit forming and healthy!
独特…だけどクセになるし身体にもイイんです！

STEP 1　音読でウォーミングアップ

スクリプトを見て、ひとかたまりごとに意味を確認しながら
3回音読してみましょう。ここではCDは聴きません。

▶ Ibaraki　　　　　　　　　　　　　　▶ 茨城県は
is known for its *natto*　　　　　　　納豆で知られている
above all else,　　　　　　　　　　　何よりも
and it leads the country　　　　　　そして、国をリードする
in *natto* production.　　　　　　　　納豆の生産において
The local Mito-*natto*　　　　　　　　茨城産の水戸納豆は
is popular and famous　　　　　　　　人気があり有名だ
throughout Japan.　　　　　　　　　　日本全国で
▶ *Natto*, fermented soybeans　　　▶ 発酵させた大豆である納豆は
using *natto* fungus,　　　　　　　　納豆菌を使って
is a typical Japanese fermented food.　典型的な日本の発酵食品だ
It boosts metabolism　　　　　　　　それは代謝を向上させる
and dissolves blood clots,　　　　　そして血栓を溶解する

making it very good for you.
It has a distinctive smell and stickiness
that many people don't like.
Different people and parts of the country
have their own ways of eating it,
but it's generally eaten
with soy sauce, hot mustard,
and green onions.
▶ Mito-*natto*
is made with small soybeans,
due to flooding.
The Nakagawa River,
which runs through the area,
often overflows during typhoons,
and so small soybeans
that can be harvested
before the typhoons come
are mainly grown here.
In 1889,
Mito-natto
was sold to tourists
at the Mito Station when it opened
and then at Kairakuen Park,
and from there
it spread in popularity
throughout Japan.

そのためとても体にいい
それには独特の匂いと粘りがある
多くの人はそれを好きではない
人や地域によって
それぞれ独自の食べ方がある
一般的には食べられている
醤油、カラシ
そしてねぎと
▶ 水戸納豆は
小粒の大豆で作られる
洪水のために
那珂川は
その地域を流れる
台風の時期によく洪水を起こす
そのため小さい大豆が
収穫可能な
台風が来る前に
主にここでは作られている
1889年に
水戸納豆は
旅行客に売られた
開業した水戸駅や
そして偕楽園で
そしてそこから
人気が広まっていった
日本中に

茨城県

STEP 2 　まずは　ゆっくりシャドーイング　CD 2-31

テキストを見ながら、赤字で書き込まれた「音の注意点」を意識し、CD音声を聴いて3回以上シャドーイングしましょう。

　Ibaraki is known for its *natto* above all else, and [脱落] it leads the country in *natto* production. The local Mito-*natto* is popular and [弱化] famous throughout [破裂なし] Japan.

　Natto, fermented soybeans using *natto* fungus, is a typical Japanese fermented food. It [破裂なし] boosts metabolism and [脱落] dissolves blood clots, making it [破裂なし] very good [破裂なし] for you. It has a distinctive smell and [破裂なし] stickiness that many people don't like. Different people and parts of the country have their own ways of eating it [破裂なし脱落], but it's generally eaten with soy sauce, hot [破裂なし] mustard [破裂なし], and [脱落] green onions.

　Mito-*natto* is made with small soybeans, due to flooding. The Nakagawa River, which runs through the area, often overflows during typhoons, and [脱落] so small soybeans that [破裂なし] can be harvested before the typhoons come are mainly grown here. In 1889, *Mito-natto* was sold [脱落] to tourists at the Mito Station when it opened and [脱落] then at Kairakuen Park, and [脱落] from there it spread in popularity throughout Japan.

STEP 3 挑戦！同時シャドーイング

CD 2-31　CD 2-32

テキストなしでのシャドーイングに挑戦です！　文の意味を意識しながら、つっかえずに言えるようになるまで何度も練習しましょう。目指せ！　ナチュラルスピード！

STEP 4 仕上げ クイズで理解度チェック！

内容に関するクイズに答えて、学習の成果を確認しましょう！

Q1　納豆は、何を納豆菌によって発酵させたものですか。
Q2　納豆には何を上げる働きがありますか。
Q3　水戸納豆が小粒になった原因は何ですか。

A1 _____
A2 _____
A3 _____

日本語訳

　茨城県の名産品といえば、納豆で、生産量は全国一です。名産品として知られる水戸納豆は、全国的に有名で人気があります。
　納豆は、大豆を納豆菌によって発酵させたもので、日本を代表する発酵食品の1つです。納豆には新陳代謝を上げる働きや血栓を溶かす効果があり、とても健康によい食べ物です。独特の匂いと粘りがあり、納豆が苦手な人もたくさんいます。食べ方には好みや地域差がありますが、醤油・辛子・ネギを加えて味付けして食べるのが一般的です。
　水戸の納豆は小粒という特徴がありますが、それは水害に起因しています。この地域を流れる那珂川が台風で氾濫するため、台風の時期よりも早く収穫できる早生の小粒大豆が広く栽培されてきたのです。そして1889年に開業した水戸駅や偕楽園などの観光地で納豆の販売を始めたところ、人気が出て、全国的に有名になって行ったそうです。

茨城県

A1：大豆（soybeans）／ A2：新陳代謝（metabolism）／ A3：洪水（flooding）

お役立ち表現 ❻ 日本人気質

和	harmony	自己犠牲	self-sacrifice
礼	gratitude	愛社精神	company loyalty
恩	obligation	島国根性	island mentality; insularity
粋	chic	反骨精神	spirit of defiance
恥	shame	民族気質	racial disposition
義理	sense of duty	職人気質	craftsmanship
人情	human empathy	商人気質	trait characteristic of merchants
本音	real feelings		
建前	polite face	年功序列	seniority system
無我	selflessness	連帯責任	collective responsibility
地味	plainness	合意形成	consensus building
忍耐	patience	もったいない	wasteful; mottainai
遠慮	reserve	お互い様	be in the same boat
謙虚	humility	思いやり	consideration
風情	taste	愛想笑い	fake smile
品格	dignity	まじめさ	seriousness; earnestness
誠実	sincerity; honesty	細やかさ	sensitivity; delicacy
素直	gentleness; obedience	曖昧さ	vagueness
寛大	broad-mindedness	恥ずかしさ	embarrassment
根性	guts	粘り強さ	persistence
頑固	stubbornness	穏やかさ	calmness
旺盛	high spirits	慎重さ	prudence
几帳面	meticulousness	短気である	have short tempers
努力家	hard worker	浪費する	spend easily
積極性	positiveness	相手を立てる	respect for others
郷土愛	local patriotism	空気を読む	read between the lines
倹約家	saver	黒子に徹する	remain in the background
天真爛漫	innocence	横並び意識	conformist mentality

東北・
北海道地方

喜多方で「そば」を食べ、人間将棋で「駒」になる!? ハチの面影を秋田に探し、牛タン定食とわんこそばで腹いっぱい！ 夏は青森ねぶた、冬は札幌雪まつりで思い出もイッパイだ!!

福島県 …188
山形県 …192
秋田県 …196
宮城県 …200
岩手県 …204
青森県 …208
北海道 …212

福島県 ★ 拉麺

県庁所在地 ★ 福島市
面　　積 ★ 13,783 km²
人　　口 ★ 1,965,376 人
　　　　　（推計　2012/7/1 現在）
人口密度 ★ 143 人/km²
公　　式 ★ www.cms.pref.fukushima.jp

Kitakata ramen — one of Japan's top three
日本三大ラーメンの1つ、喜多方ラーメン

STEP 1　音読でウォーミングアップ

スクリプトを見て、ひとかたまりごとに意味を確認しながら
3回音読してみましょう。ここではCDは聴きません。

▶ Along with Sapporo ramen of Hokkaido
and Hakata ramen of Fukuoka,
Kitakata ramen of Fukushima
is often listed
as one of the three great ramen of Japan.
Thick wavy noodles
and soup
made by stewing pork bones
and dried sardines
go into the characteristic Kitakata ramen.
Its soup is flavored
with local soy sauce,
and it's usually topped with

▶ 北海道の札幌ラーメンと並んで
それに福岡の博多ラーメンと
福島県の喜多方ラーメンは
しばしば並べられる
日本の三大ラーメンの1つとして
▶ 太い縮れ麺
とスープ
豚骨を煮込んで作られる
それと煮干しを
喜多方ラーメンの特徴だ
そのスープは味が付けられている
地元産の醤油で
そして、それにはたいてい乗っている

handmade roast pork.	自家製のチャーシュー
The chewy, thick, curly noodle	コシのある太縮れ麺は
that goes well	よく合う
with its soup	スープに
has a pleasantly sticky texture	モチモチとした食感がある
that you can't resist.	あなたが抗うことのできない
▶ Kitakata has a population	▶ 喜多方は人口を持つ
of about 55,000,	およそ 55,000 人の
but there are	しかしそこにある
over 100 ramen shops.	100 軒以上のラーメン屋が
Ramen is so popular	ラーメンは人気がある
that when older locals say "soba,"	地元の中高年の人が「そば」というと
they're usually referring to ramen.	通常ラーメンのことを指すほど
Ramen is truly	ラーメンは本当に
an essential part of daily life	日常生活の重要な部分を占めている
for the citizens.	喜多方市民にとって
▶ Each shop has	▶ それぞれの店はもつ
its own style,	独自のスタイルを
so it's fun to eat	だから食べることは楽しい
at several	複数の店で
and compare the tastes.	そして味を比較する
You shouldn't have	あなたはもたないだろう
any trouble	困難を
finding your favorite ramen.	自分の好きなラーメンを見つける

福島県

STEP 2 まずは ゆっくりシャドーイング

テキストを見ながら、赤字で書き込まれた「音の注意点」を意識し、CD音声を聴いて3回以上シャドーイングしましょう。

　Along with Sapporo ramen of Hokkaido and Hakata ramen of Fukuoka, Kitakata ramen of Fukushima is often listed as one of the three great ramen of Japan. Thick wavy noodles and soup made by stewing pork bones and dried sardines go into the characteristic Kitakata ramen. Its soup is flavored with local soy sauce, and it's usually topped with handmade roast pork. The chewy, thick, curly noodle that goes well with its soup has a pleasantly sticky texture that you can't resist.

　Kitakata has a population of about 55,000, but there are over 100 ramen shops. Ramen is so popular that when older locals say "soba," they're usually referring to ramen. Ramen is truly an essential part of daily life for the citizens.

　Each shop has its own style, so it's fun to eat at several and compare the tastes. You shouldn't have any trouble finding your favorite ramen.

STEP 3 挑戦！ 同時シャドーイング CD 2-33 CD 2-34

テキストなしでのシャドーイングに挑戦です！　文の意味を意識しながら、つっかえずに言えるようになるまで何度も練習しましょう。目指せ！　ナチュラルスピード！

STEP 4 仕上げ クイズで理解度チェック！

内容に関するクイズに答えて、学習の成果を確認しましょう！

Q1　喜多方ラーメンのスープは何で味を付けられますか。
Q2　喜多方ラーメンの具として通常使われるものは何ですか。
Q3　喜多方市の中高年の人たちが、
　　「ラーメン」という意味で使う言葉は何ですか。

A1
A2
A3

日本語訳

　北海道の札幌ラーメン、福岡県の博多ラーメンと並び、日本３大ラーメンの１つにしばしば並べられることもあるのが、福島の喜多方ラーメンです。太めの縮れ麺に、豚骨と煮干しの２つの旨味がブレンドされたスープが特徴的な喜多方ラーメン。スープの味付けには喜多方産の醤油が、具には通常、手作りのチャーシューが使われます。スープとよく絡む、コシが強い太めの縮れ麺のモチモチとした食感がたまりません。
　人口55,000人ほどの街に、なんと100軒以上ものラーメン屋が存在しています。当地で「そば」と言えば、中高年の人たちにとっては「ラーメン」のことを指します。それほどラーメンが市民の生活に密着しているのです。
　店によって、それぞれ異なる個性を持つラーメンを出していますので、ぜひ食べ比べてみてください。あなたにとってベストの１杯を、きっと見つけられるはずです。

福島県

A1：地元産（喜多方産）の醤油（local soy sauce）／A2：手作りのチャーシュー（handmade roast pork）／A3：そば（soba）

山形県 ★ 駒

県庁所在地 ★ 山形市
面　　積 ★ 6,652 km²
人　　口 ★ 1,153,528 人
　　　　　（推計　2012/7/1 現在）
人口密度 ★ 173 人 /km²
公　　式 ★ www.pref.yamagata.jp

The ultimate in craftsmanship — Tendo shoji pieces
職人の技が光る、天童の将棋駒

STEP 1　音読でウォーミングアップ

スクリプトを見て、ひとかたまりごとに意味を確認しながら3回音読してみましょう。ここではＣＤは聴きません。

▶ Tendo in Yamagata prefecture　　▶ 山形県の天童は
is famous for production of　　　　生産で有名だ
shogi pieces.　　　　　　　　　　将棋の駒
Over 90 percent　　　　　　　　　90％以上の
of the *shogi* pieces　　　　　　　将棋の駒が
are made here　　　　　　　　　　ここで作られている
as of 2012.　　　　　　　　　　　2012年現在
Most are machine-made,　　　　　ほとんどは機械で作られている
but higher-quality ones　　　　　しかし高級品は
are handmade by artisans.　　　　職人による手作りだ
▶ As in the Heian period,　　　　▶ 平安時代と同じように
kanji are written　　　　　　　　漢字は書かれている
on pentagonal pieces of wood　　　五角形の木の上に

to make the pieces.	駒を作るために
Lacquer pieces	漆の駒は
are relatively inexpensive,	比較的安価だ
but pieces with kanji lines carved	だが漢字が彫られる
by master *komashi* artisans	駒師という職人によって
and filled with lacquer	そして漆で埋められる
are the classy ones.	高級品だ
A set by a famous *komashi*	有名な駒師の作った駒のセットは
cost hundreds of thousands of yen.	何十万円もする
Pieces made by the skilled Tendo komashi	熟練の天童駒師によって作られた駒は
are the envy of *shogi* fans	将棋ファンのあこがれだ
throughout Japan.	日本中の
▶ At the Tendo Cherry Blossom Festival in April,	▶4月の天童桜まつりにおいて
crowds grow excited	群衆は興奮する
watching human *shogi*	人間将棋を見て
with people dressed	格好をしている人々が
as samurai and chambermaids	侍や腰元の
playing pieces on a giant shogi board	巨大な将棋盤の上で駒の役割をする
on the ground.	地面で
Professional players	プロ棋士が
move the people around.	人々を動かす
The *Hyaku-men-zashi*,	百面指しは
in which a professional	その中でプロ棋士が
plays against 100 opponents	100人を相手に指す
at the same time,	同時に
is another grand sight to watch.	同じく見ものだ

山形県

STEP 2 まずは ゆっくりシャドーイング

テキストを見ながら、赤字で書き込まれた「音の注意点」を意識し、CD音声を聴いて3回以上シャドーイングしましょう。

Tendo in Yamagata prefecture is famous for production of *shogi* pieces. Over 90 percent of the *shogi* pieces are made here as of 2012. Most are machine-made, but higher-quality ones are handmade by artisans.

As in the Heian period, kanji are written on pentagonal pieces of wood to make the pieces. Lacquer pieces are relatively inexpensive, but pieces with kanji lines carved by master *komashi* artisans and filled with lacquer are the classy ones. A set by a famous *komashi* cost hundreds of thousands of yen. Pieces made by the skilled Tendo komashi are the envy of *shogi* fans throughout Japan.

At the Tendo Cherry Blossom Festival in April, crowds grow excited watching human *shogi* with people dressed as samurai and chambermaids playing pieces on a giant shogi board on the ground. Professional players move the people around. The *Hyaku-men-zashi*, in which a professional plays against 100 opponents at the same time, is another grand sight to watch.

STEP 3 【挑戦！】同時シャドーイング　CD 2-35 CD 2-36

テキストなしでのシャドーイングに挑戦です！　文の意味を意識しながら、つっかえずに言えるようになるまで何度も練習しましょう。目指せ！　ナチュラルスピード！

STEP 4 【仕上げ】クイズで理解度チェック！

内容に関するクイズに答えて、学習の成果を確認しましょう！

Q1　現在将棋の駒の大半は、どのように生産されていますか。
Q2　将棋の駒に書かれる文字は何を塗料としますか。
Q3　天童桜まつりで行われる人間将棋の駒になる人は、どんな格好をしていますか。

A1
A2
A3

日本語訳

　山形県の天童市は将棋駒の生産地として有名です。2012年現在、将棋駒の9割以上はこの場所で生産されています。将棋の駒の大半は機械生産されていますが、一部の高級な将棋駒は今でも職人によって手作りされています。
　五角形の木片に漆で字を書くという、将棋駒の基本スタイルは、平安時代から変わっていません。木の上に直接漆で文字を書いただけのものは比較的安価ですが、駒師という職人が木を彫り、その上に漆を埋め込んだものは、高級品とされます。有名な職人の作品はひとセット数十万円することも珍しくありません。天童の高級将棋駒は、全国の将棋ファン垂涎の逸品なのです。
　毎年4月に行われている「天童桜まつり」では、地面に描かれた巨大な将棋盤に、戦国武将や腰元の衣装に身を包んだ人たちを、将棋の駒として配置して行う「人間将棋」が行われ、盛り上がります。プロ棋士が100名の相手と同時に戦う「百面指し」も見ものです。

山形県

A1：機械生産（machine-made）／A2：漆（lacquer）／A3：戦国武将（samurai）・腰元（chambermaid）

秋田県 ★ 犬

県庁所在地 ★ 秋田市
面　　　積 ★ 11,636 km²
人　　　口 ★ 1,064,984 人
　　　　　　（推計　2012/7/1 現在）
人口密度 ★ 92 人 /km²
公　　　式 ★ www.pref.akita.lg.jp

Do you know the story of that famous dog?
有名なあの犬の話を知っていますか？

STEP 1　音読でウォーミングアップ

スクリプトを見て、ひとかたまりごとに意味を確認しながら
3 回音読してみましょう。ここではＣＤは聴きません。

▶ The Akita from Akita prefecture,　　　▶ 秋田県原産の秋田犬は
along with the Shiba,　　　　　　　　　　柴犬とともに
the Kishu　　　　　　　　　　　　　　　　紀州犬
and other dog breeds,　　　　　　　　　　そしてその他の犬種と
are designated Natural Treasures of Japan.　日本の天然記念物に指定されている
Akita dogs are faithful　　　　　　　　　　秋田犬は忠実だ
and excel as watchdogs,　　　　　　　　　そして番犬としても優秀だ
since they like　　　　　　　　　　　　　　彼らは好きなので
fighting and hunting.　　　　　　　　　　戦いや狩猟が
▶ Every Japanese has at least once　　　▶ 日本人なら一度はしたことがある
heard about loyal Hachiko,　　　　　　　忠犬ハチ公のことを聞いた
the dog that waited for　　　　　　　　　待っていた犬
its deceased master　　　　　　　　　　　亡くなった主人を

at Shibuya Station in Tokyo.	東京の渋谷駅で
Newspapers of the time	当時の新聞は
carried stories about the dog,	その犬の話を掲載した
which brought tears	涙を出させる
to the eyes of many people.	多くの人の目に
Hachiko was actually an Akita.	実はハチ公は秋田犬なのだ
The Hachiko statue	ハチ公像は
in front of Shibuya Station	渋谷の駅前の
is even now a symbol of Shibuya	今でも渋谷のシンボルだ
and the spot for meeting up with friends.	そして友達と待ち合わせする場所
▶ Helen Keller owned	▶ ヘレン・ケラーは所有していた
an Akita dog.	秋田犬を
The dog she took back from Japan	日本から彼女が連れ帰った犬
in 1937,	1937年に
Kamikaze-go,	神風号という
was America's first Akita.	アメリカの最初の秋田犬だった
After World War II,	第二次大戦後
American soldiers	アメリカ兵たちは
heard about this	このことを聞いた
and the Akita breed	そして秋田犬は
became fashionable.	人気となった
Returning soldiers	帰還兵たちは
brought the dogs back with them.	帰国時に犬を連れ帰った
Ancestors of these dogs	これらの犬たちの子孫が
are now raised throughout the world	世界中で育てられている
as the Great Japanese Dog.	グレート・ジャパニーズ・ドッグとして

秋田県

The Akita from Akita prefecture, along with the Shiba, the Kishu and other dog breeds, are designated Natural Treasures of Japan. Akita dogs are faithful and excel as watchdogs, since they like fighting and hunting.

Every Japanese has at least once heard about loyal Hachiko, the dog that waited for its deceased master at Shibuya Station in Tokyo. Newspapers of the time carried stories about the dog, which brought tears to the eyes of many people. Hachiko was actually an Akita. The Hachiko statue in front of Shibuya Station is even now a symbol of Shibuya and the spot for meeting up with friends.

Helen Keller owned an Akita dog. The dog she took back from Japan in 1937, Kamikaze-go, was America's first Akita. After World War II, American soldiers heard about this and the Akita breed became fashionable. Returning soldiers brought the dogs back with them. Ancestors of these dogs are now raised throughout the world as the Great Japanese Dog.

STEP 3 挑戦! 同時シャドーイング

テキストなしでのシャドーイングに挑戦です! 文の意味を意識しながら、つっかえずに言えるようになるまで何度も練習しましょう。目指せ! ナチュラルスピード!

STEP 4 仕上げ クイズで理解度チェック!

内容に関するクイズに答えて、学習の成果を確認しましょう!

Q1 秋田犬は日本の何に指定されていますか。
Q2 1937年、日本からアメリカに秋田犬を連れて行ったのはだれですか。
Q3 米兵たちがアメリカに連れ帰った秋田犬の子孫は何と言いますか。

A1 _____
A2 _____
A3 _____

日本語訳

　秋田県原産の秋田犬は、柴犬や紀州犬などとともに、日本の天然記念物に指定されています。秋田犬は主人への忠誠心が強く、闘犬や狩猟犬に向く気性であったため、番犬としても優秀です。

　死去した飼い主の帰りを、東京の渋谷駅で死ぬまで待ち続けた「忠犬ハチ公」の物語は、日本人なら誰もが一度は聞いたことがあるほど有名な美談です。この話は当時、新聞にも掲載され、多くの人の涙を誘いました。このハチは、実は秋田犬だったのです。今でも、渋谷の駅前にはハチ公の像があり、渋谷のシンボル、待ち合わせのメッカになっています。

　あのヘレン・ケラーも秋田犬を飼っていました。彼女が1937年に日本から連れ帰った神風号は、日本で最初にアメリカにわたった秋田犬です。戦後、この話がアメリカ兵たちに伝わると、秋田犬は兵士達の間でちょっとしたブームとなり、多くの帰還兵が秋田犬を連れ帰りました。今でも、この秋田犬の子孫たちが「グレート・ジャパニーズ・ドッグ」として世界中で飼われています。

秋田県

A1：天然記念物（Natural Treasures） ／A2：ヘレン・ケラー（Helen Keller） ／A3：グレート・ジャパニーズ・ドッグ（Great Japanese Dog）

宮城県 ★ 牛タン

県庁所在地 ★ 仙台市青葉区
面　　積 ★ 6,862 km²
人　　口 ★ 2,323,946 人
　　　　　（推計　2012/7/1 現在）
人口密度 ★ 339 人/km²
公　　式 ★ www.pref.miyagi.jp

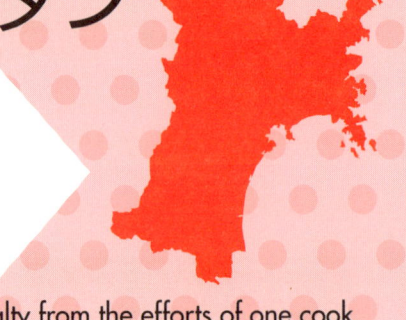

A local specialty from the efforts of one cook
1人の料理人の挑戦から始まった名物料理

STEP 1　音読でウォーミングアップ

スクリプトを見て、ひとかたまりごとに意味を確認しながら
3回音読してみましょう。ここではCDは聴きません。

▶ Miyagi prefecture,
known for livestock, agriculture,
and marine products,
promotes these industries
with the slogan,
"Miyagi, the Kingdom of Ingredients."
▶ Sendai is famous
for grilled beef tongue.
Beef tongue,
popular in the West,
was not well-known in Japan.
But in the chaos after World War II,
a Sendai cook prepared it

▶ 宮城県は
畜産、農産で知られる
そして水産物
これらの産業を促進する
スローガンで
「食材王国みやぎ」という
▶ 仙台は有名だ
牛タン焼で
牛タンは
欧米で人気の
日本であまり知られていなかった
しかし第二次世界大戦後の混乱期に
仙台の料理人がそれを調理した

with the salty taste	塩味で
Japanese like,	日本人が好む
and then it's popularity spread	そして牛タンの人気は広がった
throughout Japan.	日本中に
▶ Sendai's grilled beef tongue	▶ 仙台の牛タン焼は
is different from that served	出されるものとは異なる
at typical barbeque restaurants.	典型的な焼肉屋で
Only the tender and delicious parts	柔らかくておいしい部分だけが
are served,	出される
and the hard parts	そして固い部分は
are tossed away.	捨てられる
It's thickly sliced and aged	厚切りにして熟成されている
for several days.	数日間かけて
This makes the thick pieces	これにより厚い肉片はなる
tender and aromatic.	柔らかくて風味豊かに
▶ Grilled beef tongue,	▶ 牛タン焼は
is eaten with mashed yam	とろろと一緒に食べられる
and barley and rice,	そして麦飯と
and often comes with	そしてたいてい一緒に出される
tail-bone soup.	牛テールスープ
With tender and juicy grilled beef tongue	柔らかくてジューシーな牛タン焼を
on the side,	おかずに
you can eat lots of rice.	ご飯が進むでしょう
But be careful	しかし注意しなさい
not to overeat!	食べ過ぎないように

宮城県

STEP 2 まずは ゆっくりシャドーイング

テキストを見ながら、赤字で書き込まれた「音の注意点」を意識し、CD音声を聴いて3回以上シャドーイングしましょう。

Miyagi prefecture, known for livestock, agriculture, and marine products, promotes these industries with the slogan, "Miyagi, the Kingdom of Ingredients."

Sendai is famous for grilled beef tongue. Beef tongue, popular in the West, was not well-known in Japan. But in the chaos after World War II, a Sendai cook prepared it with the salty taste Japanese like, and then it's popularity spread throughout Japan.

Sendai's grilled beef tongue is different from that served at typical barbeque restaurants. Only the tender and delicious parts are served, and the hard parts are tossed away. It's thickly sliced and aged for several days. This makes the thick pieces tender and aromatic.

Grilled beef tongue, is eaten with mashed yam and barley and rice, and often comes with tail-bone soup. With tender and juicy grilled beef tongue on the side, you can eat lots of rice. But be careful not to overeat!

STEP 3 挑戦! 同時シャドーイング CD 2-39 CD 2-40

テキストなしでのシャドーイングに挑戦です！ 文の意味を意識しながら、つっかえずに言えるようになるまで何度も練習しましょう。目指せ！ ナチュラルスピード！

STEP 4 仕上げ クイズで理解度チェック!

内容に関するクイズに答えて、学習の成果を確認しましょう！

Q1 県が畜産業や農業などを盛り立てるために掲げているスローガンは何ですか。
Q2 仙台のある料理人が、牛タンを日本人好みの味に調理して提供しましたが、それは何味ですか。
Q3 牛タン定食で出されるのは、麦飯、とろろ、それから何ですか。

A1
A2
A3

日本語訳

　宮城県は畜産業や農業、水産業がとても盛んな県で、「食材王国みやぎ」というスローガンを掲げ、県全体としてこれらの産業を盛り立てようと取り組んでいます。
　仙台は牛タン焼きで有名です。牛タンは、西洋料理ではポピュラーな食材ですが、和食で使われることはほとんどありませんでした。戦後の混乱期に、仙台のある料理人が、牛タンを日本人好みの塩味で焼いて提供したのがきっかけとなり、牛タンは日本全国に広まっていったのです。
　仙台の牛タン焼は、一般の焼肉屋などで出される牛タン焼とは一味違います。牛タンのやわらかくておいしいところだけを提供するため、端の固い部分は捨てられます。そして、分厚くスライスした牛タンを数日かけて熟成させます。そのため、厚みがあるのにやわらかく、風味豊かな味わいになるのです。
　牛タン焼は、麦飯ととろろ、それにテールスープと一緒に食べられることがよくあります。やわらかくてジューシーな牛タンをおかずにすれば、いくらでもご飯が食べられそうです。が、食べすぎにはくれぐれもご用心を。

A1：食材王国みやぎ（Miyagi, the Kingdom of Ingredients）／ A2：塩味（salty taste）／ A3：テールスープ（tail-bone soup）

宮城県

岩手県 ★ もてなし

県庁所在地 ★ 盛岡市
面　　積 ★ 15,279 km²
人　　口 ★ 1,304,124 人
　　　　　（推計　2012/7/1 現在）
人口密度 ★ 85 人 /km²
公　　式 ★ www.pref.iwate.jp

It's not about eating a lot — TIt's about hospitality.
大食い料理ではなく、おもてなし料理です……

STEP 1 音読でウォーミングアップ

スクリプトを見て、ひとかたまりごとに意味を確認しながら
3 回音読してみましょう。ここではＣＤは聴きません。

▶ One food of Iwate prefecture　　▶ 岩手県の食べ物の 1 つに
is wanko-soba.　　　　　　　　　　わんこ蕎麦がある
Wanko means "bowl"　　　　　　　わんこは「お椀」を意味する
in Iwate dialect.　　　　　　　　　岩手の方言で
The customer sits with a bowl　　　客はお椀を持って座る
and chopsticks.　　　　　　　　　　箸と
The server　　　　　　　　　　　　給仕は
stands nearby.　　　　　　　　　　そばに立つ
When the customer finishes one serving,　客が 1 杯分の蕎麦を食べ終わると
more noodles are served.　　　　　お代わりの蕎麦が供される
Each serving　　　　　　　　　　　1 杯分の蕎麦は
is only a mouthful,　　　　　　　　ひと口サイズだ
so stacks of bowls　　　　　　　　それでお椀の山が

grow taller before the customers.
▶ When someone feels full,
they put a lid on the bowls
before another serving comes.
The slow customers
just keep on eating!
Shouting servers,
customers gulping soba
and bowl stacks
getting higher and higher
gives a smile to observers.
▶ Among the many origin theories,
there are two main ones.
Soba served to a group
goes mushy before being eaten,
so it was served in small bowls.
Another theory says
a lord staying in Hanamaki
was served
a mouthful of soba in a bowl.
He liked it
and asked for seconds
several times,
starting the custom
among the general population.

客の前に積み重ねられていく
▶ もしお腹がいっぱいと感じたら
その人はお椀に蓋をする
お代わりが来る前に
遅い人たちは
食べ続けることになる
給仕の掛け声
蕎麦をかきこむ客
そして椀の山
どんどん高くなっていく
見ている人を笑顔にする
▶ 由来についての多くの説の中には
2つ主なものがある
団体に出される蕎麦が
食べる前に伸びてしまう
そのため小さなお椀に入れて出された
もう1つの説は言う
花巻に滞在していた大名が
出された
お椀にひと口サイズの蕎麦を
彼は気に入って
お代わりを頼んだ
何回も
その習慣が始まり
一般の人たちの間で

岩手県

STEP 2 まずは ゆっくりシャドーイング

テキストを見ながら、赤字で書き込まれた「音の注意点」を意識し、CD音声を聴いて3回以上シャドーイングしましょう。

One food of Iwate prefecture is wanko-soba. *Wanko* means "bowl" in Iwate dialect. The customer sits with a bowl and chopsticks. The server stands nearby. When the customer finishes one serving, more noodles are served. Each serving is only a mouthful, so stacks of bowls grow taller before the customers.

When someone feels full they put a lid on the bowls before another serving comes. The slow customers just keep on eating! Shouting servers, customers gulping soba and bowl stacks getting higher and higher gives a smile to observers.

Among the many origin theories, there are two main ones. Soba served to a group goes mushy before being eaten, so it was served in small bowls. Another theory says a lord staying in Hanamaki was served a mouthful of soba in a bowl. He liked it and asked for seconds several times, starting the custom among the general population.

STEP 3 挑戦! 同時シャドーイング CD 2-41 CD 2-42

テキストなしでのシャドーイングに挑戦です！　文の意味を意識しながら、つっかえずに言えるようになるまで何度も練習しましょう。目指せ！　ナチュラルスピード！

STEP 4 仕上げ クイズで理解度チェック！

内容に関するクイズに答えて、学習の成果を確認しましょう！

Q1　岩手の方言で、「わんこ蕎麦」の「わんこ」とは何のことですか。
Q2　わんこ蕎麦の1杯分はどのくらいの量ですか。
Q3　わんこ蕎麦の給仕を止めるために、お客がすることは何ですか。

A1
A2
A3

日本語訳

　岩手県の郷土料理の1つに、「わんこ蕎麦」があります。「わんこ」とは、岩手の方言で「お椀」を意味します。客はお椀と箸を持って座ります。給仕が客のそばに立ちます。そして客が椀の中のそばを食べ終わるたびに、給仕は客のお椀に新たなそばのお代わりを入れます。1杯分のそばの量は一口大ですから、結果、客の目の前には空いたお椀が積み重ねられていきます。

　「もう十分！」となったら、お客は給仕が次の1杯を入れてくる前に素早く、自分のお椀に蓋をする必要があります。これがうまくいかないと、延々と食べ続けることに…！　給仕のかけ声と共にテンポよくおそばを食べていくお客、そして積み重なっていくお椀は、見ているだけで人を笑顔にさせるような楽しさがあります。

　わんこ蕎麦の由来には諸説ありますが、有力なのは2つの説です。団体客ひとりひとりにお蕎麦を盛っていたのでは麺がのびてしまうために、お椀に小分けして振るまっていたという説。もう1つの説は、ある大名が花巻に泊まったときにお椀に盛った一口サイズのそばを出され、これを気に入った大名が何度もお代わりをしたことから、一般の人に広まったというものです。

岩手県

A1：お椀（bowl）／A2：一口大（mouthful）／A3：お椀に蓋をする（put a lid on the bowl）

青森県 ★ 祭

県庁所在地 ★ 青森市
面　　積 ★ 9,645 km²
人　　口 ★ 1,351,462 人
　　　　　（推計　2012/7/1 現在）
人口密度 ★ 140 人/km²
公　　式 ★ www.pref.aomori.lg.jp

Aomori Nebuta Festival — a flood of color and light
色と光の洪水──青森ねぶた祭り

STEP 1 音読でウォーミングアップ

スクリプトを見て、ひとかたまりごとに意味を確認しながら
3 回音読してみましょう。ここではＣＤは聴きません。

▶ The summer Aomori Nebuta Festival
is held annually in Aomori
from August 2 to 7.
Over three-million people
attend the festival.
▶ The *nebuta*
is made by putting a light
inside a brightly colored papier-mâché creation.
Before World War II,
nebuta were made
with candle-lit bamboo frames,
but bamboo was gradually replaced
with wire,

▶ 夏の青森ねぶた祭りは
青森県で毎年開催される
8月2日から7日まで
300万人以上の人たちが
祭りに参加する
▶ ねぶたは
光を置くことで作られる
色鮮やかな張り子の内部
第2次世界大戦の前には、
ねぶたは作られていた
竹の骨組みに蝋燭の光
しかし竹は徐々に取って代わられた
針金に

and candles were replaced	そして蝋燭は取って代わられた
with fluorescent lights,	蛍光灯に
resulting in a transformation	結果として変化が生まれた
that made them	それらはなった
more detailed and dynamic.	より複雑かつダイナミックに
▶ The impressive *nebuta*	▶ 見事なねぶたは
in Aomori's festival	青森の祭りの
are as large as nine-meters wide	横幅は9mもある
and five-meters high.	高さは5m
Popular themes	人気のテーマは
include scenes	場面を含む
from Japanese and Chinese historical tales	日本や中国の歴史物語
and legends	そして伝説
such as *Momotaro* and *Water Margin*.	たとえば桃太郎や水滸伝など
These masterpieces of light,	これらの光の傑作は
crafted with delicate detail	細やかな細工で作られる
and bright colors,	鮮やかな色彩と
provide great entertainment.	素晴らしい楽しみを提供する
▶ *Haneto* wear costumes	▶ ハネトは衣装を着る
and bamboo hats with flowers	そして花を載せた編み笠を
and dance wildly	激しく踊る
around the *nebuta*.	ねぶたの周りで
If dressed up properly,	きちんとした格好をすれば
anyone can dance as a *haneto*.	だれでもハネトとして踊れる
Why not join in	参加してみませんか
the summer fun?	夏の楽しみに

青森県

STEP 2 まずは ゆっくりシャドーイング

テキストを見ながら、赤字で書き込まれた「音の注意点」を意識し、CD音声を聴いて3回以上シャドーイングしましょう。

　The summer Aomori Nebuta Festival is held annually in Aomori from August 2 to 7. Over three-million people attend the festival.

　The *nebuta* is made by putting a light inside a brightly colored papier-mâché creation. Before World War II, *nebuta* were made with candle-lit bamboo frames, but bamboo was gradually replaced with wire, and candles were replaced with fluorescent lights, resulting in a transformation that made them more detailed and dynamic.

　The impressive *nebuta* in Aomori's festival are as large as nine-meters wide and five-meters high. Popular themes include scenes from Japanese and Chinese historical tales and legends such as *Momotaro* and *Water Margin*. These masterpieces of light, crafted with delicate detail and bright colors, provide great entertainment.

　Haneto wear costumes and bamboo hats with flowers and dance wildly around the *nebuta*. If dressed up properly, anyone can dance as a *haneto*. Why not join in the summer fun?

STEP 3 挑戦！同時シャドーイング

テキストなしでのシャドーイングに挑戦です！ 文の意味を意識しながら、つっかえずに言えるようになるまで何度も練習しましょう。目指せ！ ナチュラルスピード！

STEP 4 仕上げ クイズで理解度チェック！

内容に関するクイズに答えて、学習の成果を確認しましょう！

Q1　ねぶた祭りが開催されるのは毎年何月ですか。
Q2　現代では、ねぶたの骨組みとして使われているものは何ですか。
Q3　ねぶたの題材としてよく描かれるものは日本や中国の何ですか。

A1 ＿＿＿＿＿＿＿＿＿＿＿＿＿＿＿＿＿＿＿＿＿＿＿＿＿＿＿＿＿＿
A2 ＿＿＿＿＿＿＿＿＿＿＿＿＿＿＿＿＿＿＿＿＿＿＿＿＿＿＿＿＿＿
A3 ＿＿＿＿＿＿＿＿＿＿＿＿＿＿＿＿＿＿＿＿＿＿＿＿＿＿＿＿＿＿

日本語訳

　青森ねぶた祭りは、青森県青森市で毎年8月2日〜7日に開催される夏祭りで、毎年、延べ300万人以上の観光客が訪れています。
　ねぶたとは、彩色した張子の中に光源となるものを入れた灯籠です。戦前は竹の骨組みとロウソクの光が使われていましたが、時代が進むとともに竹は針金に、ロウソクは蛍光灯に取って代わり、より複雑かつダイナミックに変貌を遂げました。
　青森ねぶた祭りで使われるねぶたは、最大サイズが幅9m、高さが5mにもなる巨大なもので、とても迫力があります。ねぶたで描かれる題材は、桃太郎や水滸伝などのような、日本や中国の歴史的な物語や伝説のワンシーンが多いようです。細やかな細工、それに鮮やかな色彩が織りなす、美しい光の芸術を思う存分楽しめます。
　ねぶたの周りでは、花笠をかぶり正装したハネトたちが乱舞します。ちなみに、きちんと正装すれば、だれでもハネトとして参加できるそうですよ。今年の夏は、あなたも参加してみませんか？

青森県

A1:8月 (August) ／ A2:針金 (wire) ／ A3:歴史的な物語 (historical tales)・伝説 (legends)

北海道 ★ 祭

道庁所在地 ★ 札幌市中央区
面　　積 ★ 83,457 km²
人　　口 ★ 5,507,456 人
　　　　（2010 年国勢調査速報）
人口密度 ★ 66 人/km²
公　　式 ★ www.pref.hokkaido.lg.jp

Sapporo Snow Festival — It all started with six statues.
始まりは手作りの雪像 6 体——さっぽろ雪まつり

STEP 1　音読でウォーミングアップ

スクリプトを見て、ひとかたまりごとに意味を確認しながら 3 回音読してみましょう。ここではＣＤは聴きません。

▶ The Sapporo Snow Festival,	▶ さっぽろ雪まつり
held annually	毎年開催される
in early February,	2 月上旬に
is a major Hokkaido event.	主要な北海道のイベントだ
The festival now attracts	その祭りは今や集めている
over two-million tourists	200 万人以上の観光客を
from around the world,	世界中から
but when it started in 1950,	しかしそれが 1950 年に始まったとき
only six statues	6 体だけの彫像が
were made	作られた
by local students.	地元の学生によって
Since members of the Self-Defense Force	自衛隊のメンバーが
started participating in 1955,	1955 年に参加を始めて以来

the festival has become enormous,	その祭は巨大になった
and with the 1965 Sapporo Winter Olympics,	そして1965年の札幌冬季五輪
it became world-famous.	それは世界的に有名になった
▶ Everywhere you go,	▶ あなたが行くところならどこででも
you'll see	あなたは見るだろう
a variety of sculptures—	さまざまな彫刻を
from animals	動物たちから
that look like they're going to move,	今にも動き出しそうな
to grand castles,	壮大な城にいたるまで
and even popular cartoon characters.	そして人気の漫画のキャラさえも
At night,	夜には
everything is illuminated,	すべてがライトアップされる
creating a completely different scene—	完全に別の光景を作り出して
something not to be missed.	見逃すべきではないもの
A skating rink,	スケートリンク
a small ski slope and slides	小さなスキー場と滑り台
and mazes made of snow	そして雪で作られた迷路が
to enjoy winter activities	冬のアクティビティを楽しむために
have recently been added.	最近追加された
▶ As you know,	▶ ご存知のように
it's so cold	とても寒い
the snow doesn't melt,	雪が溶けない
so that means	だからそれは意味する
it's really cold.	本当に寒い
Don't forget to	忘れないでください
dress warmly!	暖かい服装をする

北海道

STEP 2　まずは ゆっくりシャドーイング

テキストを見ながら、赤字で書き込まれた「音の注意点」を意識し、CD音声を聴いて3回以上シャドーイングしましょう。

　The Sapporo Snow Festival, held annually in early February, is a major Hokkaido event. The festival now attracts over two-million tourists from around the world, but when it started in 1950, only six statues were made by local students. Since members of the Self-Defense Force started participating in 1955, the festival has become enormous, and with the 1965 Sapporo Winter Olympics, it became world-famous.

　Everywhere you go, you'll see a variety of sculptures—from animals that look like they're going to move, to grand castles, and even popular cartoon characters. At night, everything is illuminated, creating a completely different scene—something not to be missed. A skating rink, a small ski slope and slides and mazes made of snow to enjoy winter activities have recently been added.

　As you know, it's so cold the snow doesn't melt, so that means it's really cold. Don't forget to dress warmly!

STEP 3 挑戦! 同時シャドーイング

テキストなしでのシャドーイングに挑戦です! 文の意味を意識しながら、つっかえずに言えるようになるまで何度も練習しましょう。目指せ! ナチュラルスピード!

STEP 4 仕上げ クイズで理解度チェック!

内容に関するクイズに答えて、学習の成果を確認しましょう!

Q1　第1回の雪まつりで展示された像は何体ですか。
Q2　そしてそれはだれが作りましたか。
Q3　さっぽろ雪まつりで、アクティビティを楽しめる設備は何がありますか。

A1
A2
A3

日本語訳

　毎年2月の初めに開催されるさっぽろ雪まつりは、北海道で最も大きなイベントの1つです。今でこそ国内外から200万人以上もの観光客が集まる規模となりましたが、1950年の初回に展示されたのは、地元の学生による手作りの雪像6体のみでした。その後、1955年に自衛隊が参加して以降、祭の大規模化が進み、1965年の札幌冬季五輪を機に、その知名度は世界的なものになりました。
　会場のいたるところに展示された雪像・氷像は、今にも動き出しそうな動物たちから荘厳な宮殿まで、そして今人気アニメのキャラクターたちなどなど、その種類は実にさまざまです。夜間にはライトアップされ、昼間と全く違う雪像の表情が楽しめるので必見です。最近では、スケートリンクや小さなスキースロープ、雪で作られた滑り台や迷路など、冬のアクティビティが楽しめる施設や道具も用意されています。
　なお、お分かりでしょうが、雪や氷が溶けないということは、つまり非常に寒いということです。くれぐれも防寒対策は念入りに!

北海道

A1:6体(six statues) ／ A2:地元の学生たち(local students) ／ A3:スキーのスロープ(ski slope)・すべり台(slides)・迷路(mazes)

●著者紹介

デイビッド・セイン David A. Thayne

米国生まれ。著書は『その英語、ネイティブにはこう聞こえます』（主婦の友社）、『英語ライティングルールブック』（DHC）、『世界のトップリーダー英語名言集』（Jリサーチ出版）など80点以上。現在、英語を中心テーマとしてさまざまな企画を実現するエートゥーゼット（http://www.atozenglish.jp）を主宰。エートゥーゼット英語学校校長も務める。

カバーデザイン	根田大輔 （Konda design office）
本文デザイン／DTP	朝日メディアインターナショナル株式会社
カバーイラスト	手塚雅恵
本文イラスト	田中 斉
CDナレーション	Bianca Allen Howard Colefield

デイビッド・セイン先生と
英語で日本全国47都道府県めぐり

平成24年（2012年）10月10日　初版第1刷発行

著　者	デイビッド・セイン
発行人	福田富与
発行所	有限会社Jリサーチ出版 〒166-0002　東京都杉並区高円寺北2-29-14-705 電　話 03(6808)8801(代)　FAX 03(5364)5310(代) 編集部 03(6808)8806 http://www.jresearch.co.jp
印刷所	株式会社シナノパブリッシングプレス

ISBN978-4-86392-118-4　禁無断転載。なお、乱丁・落丁はお取り替えいたします。
© 2012 David A. Thayne, All rights reserved.